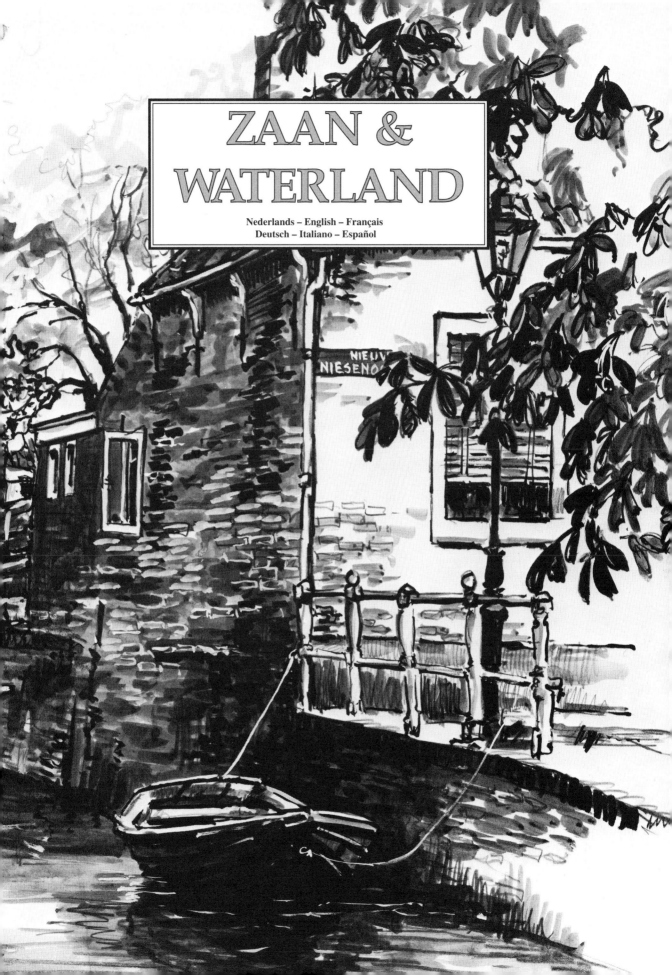

ZAAN &
WATERLAND

Nederlands – English – Français
Deutsch – Italiano – Español

ILLUSTRA

ZAAN & WATERLAND

Nederlands, English, Français,
Deutsch, Italiano, Español

editor:
Dick van Koten

production:
Buro AD, Dirk van Wikselaar
en APP*bv Amersfoort

printing & binding:
Brepols, Turnhout

sales & distribution:
Holland Book Sales,
PO Box 23,
NL 5700 AA Helmond

ISBN 90 6618 592 9 hardback
bestelnr. 9440
ISBN 90 6618 593 7 paperback
bestelnr. 9441

© Illustra MCMXCIV
PO Box 9511
NL 3007 AM Rotterdam

ZAAN & WATERLAND

Nederlands – English – Français
Deutsch – Italiano – Español

ILLUSTRA
HOLLAND BOOK SALES

Zaan & Waterland:

'Je bouwt nu eenmaal geen fabrieken om een oud houten huis of een molen heen', Jarenlang was dat de nuchtere constatering in de directie-kamers en de gemeentehuizen in de Zaanse steden en dorpen. Talloze fabrieken werden er gebouwd aan de oevers van de Zaan. 'Waar de molens lustig gaan', zong men nog in een kin-derliedje. Maar allengs verdwenen de molens en de fraaie gevels van de helder groen-wit geschilderde huizen. In de zeventiende en de achttiende waren de honderden molens de energieleveranciers voor de talloze vormen van nijverheid. Zij maakten het mogelijk dat hier het eerste echte industriegebied van Nederland en Europa ontstond. Hout uit Scandinavië en de Oostzeelanden zorgden voor een levendige handel, een uitgebreide scheepsbouw, tal van houtverwerkende activiteiten en voor een in Nederland unieke vorm van woningbouw. Czaar Peter kwam hier om om het timmervak te leren. En vandaag de dag is Bruynzeel in hout nog altijd een wereldconcern.

De produktie en de verwerking van voedings- en genotmiddelen behoorden (en behoren nog) eveneens tot de hoofdbezigheden van de Zaan-kanters. Hun artikelen werden eerst in de eigen omgeving, vervolgens in heel Nederland, daarna in alle Europese landen en nu ook in de hele wereld verkocht. Verkade en Wessanen werden zo bekend. Het grootste Nederlandse kruideniersbedijf, Albert Heijn, heeft hier zijn wortels. De Zaanstreek kan er met recht aanspraak op maken de provisiekast van Nederland te zijn.

De fabricage van textiel, verf en na de oorlog ook chemische artikelen zorgden eveneens voor veel werkgelegenheid. De Zaanse steden breidden zich schoksgewijs uit en groeiden aaneen tot een grote woon- en industrieagglo-moratie. De belangen van de gemeenten verstrengelden zich in elkaar en botsten soms. Na heel wat geharrewar kwam in 1973 aan die bestuurlijke hindernissen definitief een einde: zeven gemeenten (Zaandam, Assendelft, Koog aan de Zaan, Krommenie, Westzaan, Wormer-veer en Zaandijk) werden in 'Zaanstad' tot één gemeente samengevoegd.

Tussen de Zaan en Purmerend werd door Jan Adriaensz. Leeghwater van 1624-1626 de Wormer leeggemaald. De Purmer was al daar-voor, van 1618-1622, door hem drooggemaakt. En in 1612 was de Beemster al droogegevallen. Purmerend lag temidden van die meren. Het zompige veenland tussen deze polders en het IJ staat bekend als Waterland. Een toepasselijke naam voor dit land dat vroeger door de Zui-derzee en het IJ bedreigd werd. Er is eigenlijk geen hollandser landschap denkbaar: water, polder, hemel en daarin wat nietigheid, zoals mens en dier. Het is ook een wonder dat zoveel ruimte en rust, pal naast de drukke Zaanstreek, onder de rook van Amsterdam en direct naast de meest bezochte nationale toeristische bezienswaardigheden nog te vinden is.

Het toeristisch bekendste gezicht van Holland vinden we aan de rand van Waterland waar het IJsselmeer Gouwzee heet. Als parels aan een snoer van noord naar zuid liggen hier Edam, Volendam en Monnickendam en tenslotte aan de andere kant van de Gouwzee het voormalige eiland Marken. Edam en Volendam vormen al lang één gemeente, maar zijn wel degelijk apart. Edam is een trotse oude Hollandse stad. Met Purmerend en Monnickendam was het één van de drie steden uit het Noorderkwartier die samen met Alkmaar, Hoorn, Enkuizen en Medemblik de zeven steden vormden van West-Friesland en het Noorderkwartier. Edam vandaag is een stad met bijna 200 monumenten, die zijn naam ook een bekende kaassoort heeft gegeven. Volendam is een dorp met stadse allures. Wereldberoemd en niet alleen uit toeristisch oogpunt. Want waar zijn de palingen vetter en waar bloeien de popgroepen weliger? Om over het voetballen nog maar te zwijgen, want in geen kleinere gemeenschap in Nederland is men in staat om met een profvoetbalgroep in

de hoogste regionen te spelen.
Monnickendam ontstond in de elfde eeuw toen monniken van de kloosters Mariënburg op Marken en St. Salvator aan het Monnekemeer het nuttig vonden om een dam te leggen tussen de Gouwzee en een van de waterlandse meren: de traditionele geboortevorm van tal van Hollandse steden. De monniken zijn er al lang niet meer in Monnickendam, maar wel een rustiek en gaaf Hollands stadje aan beide zijden van een oude stadshaven.
Of is Marken misschien toch het meest Hollands? De uiterlijke kenmerken van kleding en huizen zijn hier zichtbaar in tact gebleven. Misschien omdat Marken zolang een eiland was? Maar er zijn ook andere innerlijke ken-

merken: streng protestantisme gecombineerd met een koopmansgeest. Met de katholieken van Volendam hebben rondom de Gouwzee de Markers het meeste munt kunnen slaan uit hun aantrekkelijkheid voor toeristen die op zoek zijn naar folklore. Al die toeristen zijn te vinden in de Havenbuurt of de Kerkbuurt. Toch zijn er nog meer buurten, die als plukjes huizen op een terp liggen. Eén van de aardigste wandelingen die je in Nederland kunt maken is de dijk rond Marken, slechts negen kilometer in totaal. En als je dan aan de oostkant bij het vuurtorentje komt, dat de Amsterdamse koopvaarders eens de weg wees over de Zuiderzee, dan lijkt het net een meesterwerk van naïeve schilderkunst.

Volendam

`You just do not build factories around an old wooden house or mill'. This was the sensible conclusion reached in the directors offices and councils in the Zaan towns and villages. Many factories were built along the banks of the Zaan. `Where the mills blithely go' as the nursery rhyme goes. But gradually the mills and the pretty gables of the bright green and white painted houses disappeared. In the 17th and 18th centuries the hundreds of mills powered many forms of industry. They enabled this area to become the first real industrial centre of Holland and Europe. Wood from Scandinavia and the Baltics created lively trading, extensive shipbuilding, many timber handling activities and a unique form of house building in Holland. Czar Peter came here to learn the carpentry trade. To this day, Bruynzeel is still an international concern in wood.

The production and processing of food and luxury foods were (and still are) one of the Zaan region's main activities. Their products were sold first in the direct surroundings, then in the whole of Holland, after that in all European countries and now the world over. This is how Verkade and Wessanen became well known. Holland's largest grocery store, Albert Heyn, started off here. The Zaan region can justifiably call itself Holland's pantry. The production of textiles, paint and, after the war, chemical products created much employment. The Zaan towns grew in leaps and bounds and merged into one big residential and industrial conurbation. The various districts intertwined and sometimes clashed. After a great deal of commotion, the administrative hindrances finally came to an end in 1973: seven districts (Zaandam, Assendelft, Koog aan de Zaan, Krommenie, Westzaan, Wormerveer and Zaandijk) were merged into one borough 'Zaanstad'. Between the Zaan and Purmerend Jan Adriaensz. Leeghwater drained the Wormer (1624-1626). The Purmer had already been drained by him in 1618-1622. The Beemster had been dried out in 1612. Purmerend lay in the middle of these lakes. The swampy bog land between these polders and the IJ is called Waterland. An appropriate name for land that used to be under threat from the Zuider Zee and the river IJ. The landscape could not be more Dutch: water, polder, sky and an insignificant person or animal here and there. It is also a wonder that there is so much space and quiet to be found right next to the busy Zaan region, a stone's throw from Amsterdam and directly beside the most popular national tourist sights. Holland's best known features for tourists are found on the edge of Waterland where the IJsselmeer is called Gouwzee. Like pearls on a necklace from north to south there is Edam, Volendam and Monnickendam and finally on the other side of the Gouwzee, Marken, the former island. Edam and Volendam formed one borough some time ago but are quite definitely separate. Edam is a proud old Dutch town. With Purmerend and Monnickendam it was one of the three towns from the North to join Alkmaar, Hoorn, Enkuizen and Medemblik to form the seven towns of West Friesland and the North. Edam today is a town with almost 200 monu-ments and which has given its name to a famous cheese variety.

Volendam is a village with town aspirations. It is world famous, not only from a tourist standpoint: because where are the eels fatter and where are there more pop groups in abundance? This is not to mention football, no smaller community in Holland has managed to play professional football in the highest ranks.

Monnickendam grew up in the 11th century when monks from the St. Salvator on the Monnekemeer and the Mariën-burg on Marken monasteries decided to build a dam between the Gouwzee and one of the Waterland lakes: the traditional origination of many Dutch towns. Monnickendam has not been home to monks for many years but it is a rustic and unblemished Dutch town on both sides of an old town port.

Or perhaps Marken has the strongest Dutch character? The external features of clothing and houses have visibly remained intact. Perhaps because Marken was an island for so long? But it has other inner features: strict Protestantism combined with a commercial spirit. Along with the Catholics in Volendam around the Gouwzee, the Markers have managed to capitalize the most on their appeal to tourists searching for folklore. All tourists go to the Harbour or Church districts. There are other districts though that sit atop knolls in knots of houses. One of the nicest walks you can take in Holland is on the dike around Marken, just nine kilometres long. Once you reach the lighthouse on the eastern side, which used to show the Amsterdam merchants their way over the Zuider Zee, it looks just like a naive painting masterpiece.

Marken

"Mais oui, c'est comme ça, on ne construit pas d'usines autour d'une ancienne maison en bois ou d'un moulin à vent". Pendant des années, cela a été le constat sans imagination des bureaux de PDG et des mairies des villes et villages de la région Zaan. "Là, les ailes des moulins tournent gaiement", chantaient autrefois les enfants. Mais avec l'industrialisation, les moulins et les jolies maisons aux façades peintes en vert et blanc ont disparu. Aux dix-septième et dix-huitième siècles, des centaines de moulins fournissaient l'énergie nécessaire à de nombreuses formes d'activité. Ce sont eux qui rendirent possible la création de la première véritable région industrielle des Pays-Bas et de l'Europe. Le bois de la Scandinavie et des pays bordant la mer de l'Est était à l'origine d'un commerce vivant, d'une importante industrie de constructions navales et de nombreuses activités liées à l'industrie du bois et à la construction de maisons uniques dans les Pays-Bas. Le tsar Pierre de Russie est venu ici apprendre le métier de menuisier-charpentier. Et aujourd'hui encore, l'entreprise Bruynzeel est mondialement connue dans le domaine du bois.

La production et le traitement de denrées alimentaires et de condiments (mayonnaise, moutarde...) faisaient (et font toujours) également partie des activités principales des habitants de la Zaan. Leurs produits, d'abord vendus dans les environs, le furent ensuite dans tous les Pays-Bas, puis dans tous les pays d'Europe, et partent aujourd'hui dans le monde entier. C'est ainsi que les marques Verkade et Wessanen ont une notoriété mondiale. La plus grande "épicerie" des Pays-Bas, Albert Heijn, a ses racines ici. C'est à juste titre que la région Zaan prétend être la plus grande armoire à provisions des Pays-Bas. La production de textile, de peinture, et, après la guerre, de produits chimiques, a également fourni beaucoup de travail à la population. Les villes zaanoises se sont développées de façon explosive et ont fini par se rejoindre pour former une grande agglomération urbaine et industrielle. Les intérêts des communes s'entremêlaient et s'opposaient parfois les uns aux autres. En 1973, à la suite de nombreux incidents ou difficultés, on a définitivement mis fin à ces obstacles administratifs : sept communes (Zaandam, Assendelft, Koog aan de Zaan, Krommenie, Westzaan, Wormerveer et Zaandijk) ont fusionné pour en former une grande : Zaanstad.

Entre 1624 et 1626, le lac (polder) Wormer situé entre la rivière Zaan et la ville de Purmerend fut vidé par Jan Adriaensz. Leeghwater. Auparavant, de 1618 à 1622, il avait asséché le polder Purmer, et en 1612, le polder Beemster était déjà à sec. La ville de Purmerend était située au milieu de tous ces lacs. La région de marécages et de tourbe formée par tous ces polders et l'étang IJ est aujourd'hui connue comme le Waterland (Pays de l'Eau). Un nom tout-à-fait approprié pour ce pays autrefois menacé par les étangs de la Zuiderzee et de l'IJ. En fait, on ne peut pas imaginer un paysage plus hollandais : de l'eau, des polders, le ciel, et au milieu, des petites choses de rien comme l'homme et l'animal. Et c'est un vrai miracle que de pouvoir trouver tant d'espace et de tranquillité juste à côté de la région très fréquentée de la Zaan, sous les fumées d'Amsterdam, et des curiosités touristiques les plus visitées des Pays-Bas. L'image touristique de Hollande la plus connue se situe au bord du Waterland, là où l'étang IJselmeer prend le nom de Gouwzee. Ici se trouvent, telles un collier de perles, et du nord au sud, les villes d'Edam, Volendam et Monnickendam et enfin, de l'autre côté du Gouwzee, l'ancienne île de Marken. Les villes d'Edam et de Volendam forment depuis longtemps déjà une seule commune, mais elles restent très différentes. Edam est une ancienne et fière ville hollandaise. Avec celles de Purmerend et de Monnickendam, elle était l'une des trois villes de la région Noorderkwartier qui formaient, avec Alkmaar, Hoorn, Enkuizen et Medemblik, les sept villes de la Frise de l'Est et du Noorderkwartier. Aujourd'hui, Edam compte presque 200 monuments et a donné son nom à un fromage connu. Volendam est un village aux allures urbaines. Sa célébrité est mondiale, et pas seulement du point de vue touristique. Car où les anguilles sont-elles plus grasses et où y-a-t-il plus de groupes de rock? Sans parler du football : il n'y a pas de plus petite commune aux Pays-Bas où l'on soit capable de jouer au plus haut niveau avec une équipe professionnelle.

La ville de Monnickendam est née au onzième siècle, quand les moines des abbayes de Mariënburg, sur l'île de Marken, et de St. Salvator, au bord du lac Monnekemeer, trouvèrent utile de construire une digue entre l'étang Gouwzee et un des lacs du Waterland : c'est la forme de naissance traditionnelle de nombreuses villes hollandaises. Il n'y a plus de moines à Monnickendam depuis bien longtemps, mais c'est bien une ville hollandaise, propre et rustique, située des deux côtés d'un ancien port. Ou bien est-ce Marken la plus hollandaise? Les caractéristiques extérieures des vêtements et des maisons y sont plus visiblement conservés. Peut-être est-ce dû au fait que Marken soit restée si longtemps une île. Mais elle possède aussi des caractéristiques intérieures : un protestantisme sévère, combiné avec un solide sens du commerce. Avec les catholiques de Volendam, les habitants de Marken sont ceux qui ont gagné le plus d'argent autour de l'étang Gouwzee, grâce à l'attirance qu'ils exercent sur des touristes qui recherchent le folklore. On trouve tous ces touristes dans les quartiers de Havenbuurt ("Quartier du Port") ou de Kerkbuurt ("Quartier de l'Eglise"). Il existe pourtant beaucoup d'autres quartiers, situés tels des touffes de maisons sur une motte de terre. Une des promenades les plus agréables qu'on puisse faire aux Pays-Bas, c'est la digue, de seulement neuf kilomètres de long, qui fait le tour de l'île de Marken. Et quand on arrive du côté est près du petit phare qu'autrefois les marins d'Amsterdam utilisaient comme point d'orientation sur la Zuiderzee, tout ressemble à un chef-d'oeuvre de peinture naïve.

"Man baut nun einmal keine Fabriken bei einem alten Holzhaus oder einer Mühle". Jahrelang war das die nüchterne Feststellung in den Büros der Direktoren und der Gemeindeverwaltungen der Städte und Dörfer von Zaan. Unzählige Fabriken wurden hier an den Ufern der Zaan gebaut. "Wo die Mühlen lustig drehen", sang man noch in einem Kinderlied. Aber nach und nach verschwanden die Mühlen und die hübschen Fassaden der hellen , grün-weiss bemalten Häuser. Im XVII. und XVIII. Jahrhundert waren diese hunderte Mühlen der Energielieferant für zahllose Formen von Gewerbe. Sie machten es möglich, dass hier das erste echte Industriegebiet der Niederlande und Europas entstand. Holz aus Skandinavien und den Ostseeländern sorgten für einen lebendigen Handel, für einen umfangreichen Schiffsbau, eine Anzahl von holzverarbeitenden Aktivitäten und für eine in die Niederlanden einmalige Form von Wohnungsbau. Der russischen Zar Peter kam hierher, um das Zimmerhandwerk zu erlernen. Und bis heute ist die Firma Bruynzeel im Holzgebiet immer noch ein Weltkonzern.

Die Herstellung und Verarbeitung von Ernährungs- und Genussmitteln gehörte (und gehört noch) ebenfalls zu den Hauptbetätigungen der Bewohner von Zaan. Ihre Artikel wurden zuerst in der eigenen Umgebung, später in den ganzen Niederlanden, danach in allen europäischen Ländern und nun auch in der ganzen Welt verkauft. Verkade und Wessanen wurden so bekannt. Der grösste niederländische Lebensmittelhandel Albert Heijn hat hier seine Wurzeln. Die Gegend Zaan kann mit Recht Anspruch darauf erheben, die Vorratskammer der Niederlande zu sein. Die Herstellung von Textil, Farben und nach dem Krieg auch von chemischen Artikeln sorgten ebenfalls für viele Arbeitsmöglichkeiten. Die Städte in Zaangebiet breiteten sich stossweise aus und wuchsen aneinander zu einer grossen Wohn- und Industriesiedlung. Die Interessen der Gemeinden verstrickten sich und stellten sich manchmal entgegen. Nach viel Durcheinander nahmen 1973 die Verwaltungshindernisse endgültig ein Ende. Sieben Gemeinden (Zaandam, Assendelft, Koog aan de Zaan, Krommenie, Westzaan, Wormerveer und Zaandijk) wurden zu "Zaanstad", zu einer Gemeinde zusammengeführt. Der zwischen dem Fluss Zaan und der Stadt Purmerend gelegene Wormer-See wurde von 1624-26 durch Jan Adriaensz. Leeghwater geleert. Schon vorher, zwischen 1618-1622 wurde durch ihn der Polder Purmer trockengelegt und 1612 war der Polder Beemster schon trocken. Die Stadt Purmerend zwischen diesen Poldern und dem See IJ ist heute als Waterland bekannt.

Ein passender Name für dieses Land, welches früher durch den Zuiderzee und durch den See IJ bedroht war. Es ist eigentlich keine holändischere Landschaft denkbar: Wasser, Polder, Himmel und darin etwas Winziges, Menschen und Tiere. Es ist auch ein Wunder, dass soviel Raum und Ruhe unmittelbar neben dem geschäftigen Zaangebiet, unter den Abgasen von Amsterdam und in nächster Umgebung der meist besuchten nationalen touristischen Sehenswürdigkeiten noch zu finden ist.

Das touristisch bekannteste Gesicht von Holland finden wir am Rand von Waterland, wo das IJsselmeer Gouwzee heisst. Wie Perlen an einer Schnur liegen hier von Norden nach Süden Edam, Volendam und Monnickendam und zuletzt am anderen Ufer des Gouwzees die ehemalige Insel Marken. Die Städte Edam und Volendam formen seit langem eine Gemeinde aber sie sind ganz verschieden. Edam ist eine stolze alte holländische Stadt. Mit Purmerend und Monnickendam war sie eine von den drei Städten aus dem Gebiet Noorderkwartier, die zusammen mit Alkmaar, Hoorn, Enkhuizen und Medemblik die sieben Städte von West-Friesland und dem Noorderkwartier formten. Edam ist heute eine Stadt, die beinahe 200 Denkmäler besitzt und die ihren Namen auch einer bekannten Käsesorte gegeben hat. Volendam ist ein Dorf mit einer städtischen Note. Die Stadt ist nicht nur für Tourismus berühmt. Wo sind die Räucheraale fetter und wo entstehen mehr Pop-Gruppen? Vom Fussball ganz zu zweigen: es gibt keine kleinere Gemeinde in den Niederlanden die imstande ist, mit einer Berufsmannschaft in den höchsten Stufen zu spielen.

Die Stadt Monnickendam entstand im elften Jahrhundert, als die Mönche der Kloster Mariënburg auf der Insel Marken und St. Salvator am Monnekemeer es nötig fanden, einen Damm zwischen dem Gouwzee und einem der Waterland-Seen zu bauen; die traditionelle Entststehungsform einer Anzahl holländischer Städte. Die Mönche sind schon lange nicht mehr in Monnickendam, wohl aber ein ländliches und ruhiges Städtchen zu beiden Seiten eines alten Stadthafens.

Oder ist Marken vielleicht doch die holländischste Stadt? Die äusserlichen Kennzeichen von Kleidung und Häusern sind hier sichtbar unberührt geblieben. Vielleicht weil Marken so lange eine Insel war? Aber es gibt auch andere innerliche Kennzeichen: strenger Protestantismus verbunden mit einem ausgeprägten Sinn für den Handel. Die Einwohner von Marken sind zusammen mit den Katholiken von Volendam diejenigen, die rund um den Gouwzee am meisten an der Anziehungskraft verdient haben, die die Folklore auf Touristen ausübt. Man findet alle diese Touristen in dem Hafenviertel Havenbuurt oder dem Stadtviertel Kerkbuurt. Doch hier sind noch andere Stadtviertel, die wie ein Büschel Häuser auf einer Scholle liegen. Einer der angenehmsten Spaziergänge die Sie in den Niederlanden machen können, ist der nur neun Kilometer lange Gang auf dem Deich rund um Marken. Und wenn Sie dann an der Ostseite bei dem kleinen Leuchtturm ankommen, der den Amsterdamer Seeleuten früher den Weg wies, dann sieht alles wie ein Meisterwerk naiver Kunst aus.

" Ma si, è cosí, non si possono costruire fabbriche attorno ad una antica casa di legno o nei pressi di un mulino a vento". Questa è stata, per anni, la convinzione, peraltro priva di immaginazione, di Direttori Generali o di Municipi delle città e dei villaggi nella regione di Zaan. "Qui, le ali dei mulini girano allegramente", cantavano una volta i bambini. Però, con l'industrializzazione, i mulini e le belle case dalle facciate dipinte di verde e di bianco sono spariti. Durante il diciassettesimo e il diciottesimo secolo, centinaia di mulini erogavano l'energia necessaria a numerose forme di attività. Furono loro che resero possibile lo sviluppo della prima vera regione industriale dei Paesi Bassi e dell'Europa. Il legno di Scandinavia e dei paesi fiancheggianti il Mare dell'Est era all'origine di un commercio intenso, di una importante industria di costruzioni navali e di varie attività legate all'industria del legno e all'edificazione delle case tipiche dei Paesi Bassi. Lo zar Pietro di Russia venne qui per imparare il mestiere di falegname-carpentiere. Ed oggi ancora, la ditta Bruynzeel è mondialmente conosciuta nel campo del legno. La produzione e il condizionamento di prodotti alimentari e di condimenti (maionese, senape...) facevano (e faranno sempre) parte delle principali attività degli abitanti della Zaan. I loro prodotti, dapprima venduti nelle vicinanze, lo furono in seguito su tutto il territorio dei Paesi Bassi, poi dei paesi d'Europa ed ora partono per il mondo intero. E' cosí che le marche Verkade e Wessanen sono di notorietà mondiale. Il più grande "negozio di generi alimentari" dei Paesi Bassi, Albert Heijn, è nato qui. E' a giusto titolo che la regione Zaan, pretende di essere la più grande dispensa dei Paesi Bassi. La produzione di tessili, di vernici e, dopo la guerra, di prodotti chimici, ha anche fornito molto lavoro alla popolazione. Le città zaanesi si sono sviluppate in modo esplosivo e si sono finalmente raggruppate per formare una grande agglomerazione urbana e industriale. Gli interessi dei Comuni s'intrecciavano e si opponevano, a volta, gli uni agli altri. Nel 1973, dopo numerosi incidenti e difficoltà, gli ostacoli amministrativi furono definitivamente superati e sette Comuni (Zaandam, Assendelft, Koog aan de Zaan, Krommenie, Westzaan, Wormerveer e Zaandijk) si unirono per formarne uno solo: Zaanstad.
Tra il 1624 e 1626, il lago (polder) Wormer, situato tra il fiume Zaan e la città di Purmerend fu prosciugato da Jan Adriaensz Leeghwater. Precedentemente, dal 1618 al 1622, egli aveva già prosciugato il polder Purmer e, nel 1612, il polder Beemster. La città di Purmerend era situata in mezzo a questi laghi. La regione di paludi e di torba formata da tutti questi polder e dallo stagno IJ è oggi conosciuta sotto il nome di Waterland (Paese dell'Acqua). Un nome perfettamente appropriato per questo paese un tempo minacciato dagli stagni della Zuiderzee e dell'IJ. In effetti, è impossibile immaginare un paesaggio più olandese: l'acqua, il polder, il cielo e, nel mezzo, piccole cose "insignificanti" come l'uomo o gli animali. Ed è un vero miracolo poter trovare tanto spazio e tanta tranquillità proprio vicino all'affollatissima regione della Zaan, a due passi da Amsterdam e a prossimità delle curiosità turistiche più visitate dei Paesi Bassi.

La più famosa immagine turistica dell'Olanda si trova sulle rive del Waterland, là dove lo stagno IJselmeer prende il nome di Gouwzee. Qui si trovano, come una collana di perle, dal Nord al Sud, le città di Edam, Volendam e Monnickendam ed infine, dall'altro lato del Gouwzee, l'antica isola di Marken. Le città di Edam e di Volendam hanno già da molto tempo un solo Municipio, ma rimangono molto diverse. Edam è una vecchia e fiera città olandese: con Purmerend et Monnickendam, era una delle tre città della regione del Noorderkwartier che formavano, con Alkmaar, Hoorn, Enkuizen e Medemblik, le sette città della Frisia dell'Ovest e del Noorderkwartier. Oggi, Edam conta più di 200 monumenti e ha dato il suo nome ad un famoso formaggio. Volendam è un villaggio dall'aspetto urbano. La sua celebrità è mondiale e non solo dal punto di vista turistico. Infatti: è qui che le anguille sono più grasse e che si trova il numero più elevato di gruppi rock. Senza parlare del calcio: non esiste un'altra squadra in un Comune cosi' piccolo nei Paesi Bassi capace di giocare con una squadra professionale del più alto livello.
La città di Monnickendam sorse nell'undicesimo secolo, quando i monaci delle abbazie di Mariënburg, sull'isola di Marken e di St. Salvator, in riva al lago Monnekemeer, costruirono una diga tra lo stagno Gouwzee e uno dei laghi del Waterland: fu il modo di nascere tradizionale di numerose città olandesi. I monaci sono partiti da lungo tempo, ma Monnickendam è proprio una città olandese, pulita e rustica, situata sui due lati di un antico porto. O sarà Marken, la più olandese? Le caratteristiche esterne degli abiti e delle case si sono qui più visibilmente conservate. Forse a causa del fatto che Marken è rimasta a lungo un'isola. Ma essa possiede anche caratteristiche interne: un protestantesimo severo, combinato con un solido senso del commercio. Con i cattolici di Volendam, gli abitanti di Marken sono quelli che hanno guadagnato più soldi attorno allo stagno di Gouwzee, grazie al fascino esercitato sui turisti alla ricerca di folklore, che si ritrovano tutti nei quartieri di Havenbuurt ("Quartiere del Porto") o di Kerkbuurt ("Quartiere della chiesa"), anche se esistono numerosi altri quartieri, situati come ciuffi di case su una zolla di terra. Una delle più piacevoli passeggiate che si possano fare nei Paesi Bassi è quella alla diga, lunga nove chilometri, che fa il giro dell'isola di Marken. E quando si arriva sul lato Est, vicino al piccolo faro, un tempo punto di orientamento dei marinai di Amsterdam sulla Zuiderzee, ogni cosa assomiglia ad un capolavoro della pittura "naïve".

'Sin lugar a dudas, no suelen construirse e factorías alrededor de una vieja casa de madera o de un molino'. Esta ha sido durante años la afirmacion común y sin imaginación de las oficinas de proyectos y de los ayuntamientos de las ciudades y pueblos de la región del Zaan. Se construyeron gran número de factorías a orillas del río Zaan. 'Donde las aspas de los molinos giran alegremente', como decía en aquellos tiempos una canción infantil. Pero paulatinamente los molinos, al igual que las elegantes casas con sus fachadas pintadas en verde y blanco fueron desapareciendo debido a la industrialización. En el siglo XVII y XVIII, centenares de molinos facilitaron la energía necesaria para las muchas formas de industria, que hicieron posible que aquí naciera la primera zona industrial de los Países Bajos y Europa. La madera procedente de Escandinavia y de los Países Bálticos, dio origen a un comercio dinámico, a una extensa construcción naval, a un gran número de actividades relacionadas con la industria de la madera, así como a la construcción de las típicas casas de los Países Bajos. El Zar Pedro de Rusia vino aquí para aprender el oficio de carpintero. Y hasta nuestros días la empresa Bruynzeel sigue siendo una empresa de renombre mundial en la industria maderera. La producción y la elaboración de productos alimenticios fueron (y siguen siendo) parte de las actividades principales de los habitantes de la región del Zaan. Inicialmente sus productos se comercializaron en sus alrededores y posteriormente por todo el territorio de los Países Bajos para finalizar extendiéndose por todos los países europeos y actualmente por el mundo entero. Así se dieron a conocer las marcas Verkade y Wessanen. El 'colmado' más importante de los Países Bajos, Albert Heijn, tiene sus raíces aquí. La región del Zaan puede llamarse con razón la despensa de los Países-Bajos. La industria del textil, de la pintura y pasada la guerra también la de la química, proporcionaron igualmente una gran oferta de trabajo. Las ciudades del Zaan se han ido expandiendo en fases de crecimiento irregulares para finalizar anexionándose en una gran aglomeración urbana e industrial. Los intereses de los diferentes municipios se entrelazaron entre sí, aunque también se enfrentaron ocasionalmente. En 1973, después de varios altercados, se vencieron definitivamente los obstáculos administrativos: siete municipios (Zaandam, Assendelft, Koog aan de Zaan, Krommenie, Westzaan, Wormerveer y Zaandijk) se fusionaron para formar un sólo municipio denominado 'Zaanstad'. Entre 1624 y 1626 el lago (polder) Wormer, situado entre el río Zaan y la ciudad Purmerend, fue desecado bajo las órdenes de Jan Adriaensz. Leeghwater. Anteriormente entre 1618 y 1622 éste ya había dirigido la obra de desecación del polder Purmer, y en 1612 el polder Beemster ya estaba desecado. Purmerend se hallaba en medio de todos estos lagos. Las tierras pantanosas y de turba entre estos polderes y el lago IJ se conocen hoy en día como el Waterland (País del Agua). Denominación muy apropiada para este país que antaño se vio amenazado por los lagos del Zuiderzee y el IJ. No es posible imaginar un paisaje más típicamente holandés: agua, polder, cielo, y en el centro, un diminuto detalle como el hombre y el animal. Parece un milagro poder encontrar tanto espacio y tranquilidad, justo al lado de la tan concurrida región del Zaan, bajo el humo de Amsterdam y junto a los centros turísticos más visitados. La imagen turística más conocida de los Países Bajos se encuentra a orillas del Waterland, donde el lago IJsselmeer toma el nombre de Gouwzee. Igual como un collar de perlas, se sitúan aquí desde el norte hacia el sur, las ciudades de Edam, Voldendam y Monnickendam y finalmente al otro lado del Gouwzee, la vieja isla de Marken. Las ciudades de Edam y Volendam ya forman desde hace tiempo un único municipio, aunque siguen siendo muy diferentes. Edam es una antigua y orgullosa ciudad holandesa . Con las de Purmerend y Monnickendam, fue una de las ciudades de la región Noordkwartier que formaron, junto con Alkmaar, Hoorn, Enkhuizen y Medemblik las siete villas de Frisia del Oeste y del Noorderkwartier.

Edam es hoy en día una ciudad que cuenta con casi 200 monumentos y que también ha dado su nombre al famoso queso de bola. Volendam es un pueblo con aires urbanos; mundialmente conocido y no sólo desde el punto de vista turístico. Porque, ¿Dónde se encuentran anguilas mas grandes o más conjuntos de música Pop? Sin mencionar el fútbol, ya que no hay ningún municipio menor en los Países-Bajos donde se ofrezca un mejor nivel de juego con un equipo profesional.

Monnickendam se remonta al siglo XI cuando los monjes de los monasterios Marienburg en la isla de Marken y de St. Salvador, a orillas del Monnekemeer, creyeron conveniente construir un dique entre el Gouwzee y uno de los lagos del Waterlan6d: es la forma tradicional como hannacido gran número de ciudades holandesas. Hace tiempo que ya no existen monjes en Monnickendam, pero sí un pequeño y típico pueblo holandés, ubicado a ambos lados de un viejo puerto. ¿O puede ser Marken lo más genuinamente holandés? Se han conservado visiblemente las características externas de la vestimenta y de las casas; ¿Se debe ello quizás a que Marken haya sido una isla durante tanto tiempo? Pero existen igualmente otros índices internos: un severo protestantismo combinado con un sólido sentido comercial. Los habitantes de Marken, junto con los católicos de Volendam, son los que han sabido sacar mayor partido de la zona del Gouwzee, gracias a la gran atracción que supieron ejercer sobre los turistas en busca de folklore. Estos turistas pueden encontrarse en el barrio de Havenbuurt (barrio del puerto) o en el de Kerkbuurt (barrio de la iglesia). Existen muchos otros barrios, esparcidos como si fuesen matas de casas sobre un montículo de tierra. Uno de los paseos más agradables que pueden hacerse en los Países-Bajos es sobre el dique que rodea la isla de Marken con una longitud de sólo 9 Km. Cuando se llega del lado este al pequeño faro, que en otros tiempos indicó a los marineros de Amsterdam la ruta a seguir por el mar Zuiderzee, el conjunto parece una obra maestra de pintura naif.

Zaandam

Edam

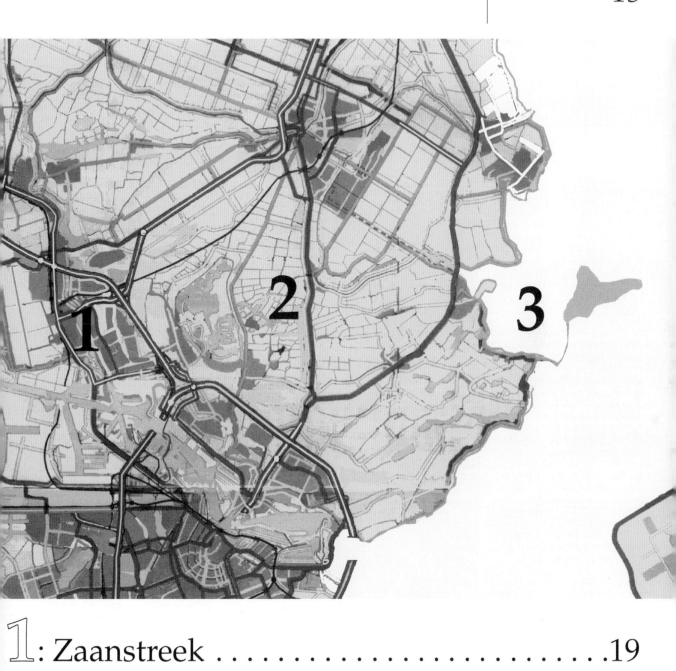

1 | Zaandam

An aerial shot of the river Zaan in 1960. Its importance as a waterway diminished. The last big ship was built along the Achterzaan, behind the Sluis, in 1718. Before this, Czar Peter the Great had been an apprentice for a week in the Lijnst Teeuwisz shipyard on the Voorzaan, in front of the Sluis, in 1697.

La Zaan sur une photo aérienne de 1960. Comme voie fluviale, elle a perdu de son importance. En 1718, le dernier grand bateau fut construit dans un chantier sur le Achterzaan, derrière la Sluis (écluse). Plus tôt, en 1697, le tsar Pierre le Grand fut embauché pour une semaine comme apprenti au chantier de Lijnst Teeuwisz sur le Voorzaan, devant la Sluis.

Die Zaan auf einem Luftfoto von 1960. Ihre Bedeutung als Wasserweg nahm ab. Im Jahre 1718 wurde in der Werft längs der Achterzaan hinter der Sluis (Schleuse) das letzte grosse Schiff gebaut. Der Zar Peter der Grosse war im Jahre 1697 auf der Werft Lijnst Teeuwisz auf der Voorzaan, vor der Sluis, eine Woche in der Lehre gewesen.

La Zaan in una fotografia aerea del 1960. Come via fluviale, ha perso la sua importanza. Nel 1718, l'ultima grande nave fu costruita in un cantiere sull'Achterzaan, dietro la Sluis (chiusa). Precedentemente, nel 1697, lo zar Pietro il Grande era stato assunto per una settimana come apprendista sul cantiere di Lijnst Teeuwisz sul Voorzaan, davanti alla Sluis.

El Zaan en una vista aérea de 1960. Este ya había perdido su importancia como vía fluvial. En 1718 se construyó el último gran barco en un astillero en el Achterzaan, detrás de la esclusa Sluis. Anteriormente en 1697, el Zar Pedro el Grande había pasado una semana de aprendizaje en el astillero de Lijnst Teeuwisz en el Voorzaan, frente a la esclusa Sluis.

De Zaan op een luchtfoto uit 1960. Het belang als waterweg nam af. In 1718 werd het laatste grote schip langs de Achterzaan, achter de Sluis, gebouwd. Czaar Peter de Grote was daarvoor, in 1697 op de werf van Lijnst Teeuwisz al op de Voorzaan, voor de Sluis, een week in de leer geweest.

North Holland at the beginning of
the 17th century. The large polders of Leeghwater are close by.
Zaan & Waterland bordered Purmer and Wormer to the north. The
river IJ in the south did not have
its present form until the middle
of the 19th century.

La Hollande du Nord au début du
17ème siècle. Les grands travaux
de Leeghwater sont encore à faire.
La région Zaan et Waterland est
encore limitée au nord par les villes de Purmer et Wormer. Dans le
sud, l'étang IJ devra attendre la
deuxième moitié du 19ème siècle
pour avoir sa forme actuelle.

Nord-Holland zu Beginn des
XVII. Jahrhunderts. Die grosse
Trockenlegung von Leeghwater
steht vor der Tür. Zaan & Water-
land werden im Norden noch
durch Purmerend und Wormer
begrenzt. Im Süden muss der IJ-
See noch bis zur Mitte des XIX.
Jahrhunderts auf seine heutige
Form warten.

L'Olanda del Nord all'inizio del
17° secolo. I grandi lavori di
Leeghwater non sono stati ancora
realizzati. La regione di Zaan e
Waterland è ancora limitata a
Nord dalle città di Purmer e Wormer. Nel Sud, lo stagno IJ acquis-
terà la sua sagoma attuale solamente nella seconda metà del 19°
secolo.

Holanda del Norte a principios
del siglo XVII. Los grandes tra-
bajos de desecación no habían co-
menzado todavía. En el norte la
región Zaan & Waterland sigue
delimitada por las ciudades de
Purmer y Wormer. En el sur, el
lago IJ deberá esperar hasta mediados del siglo XIX para adquirir
su actual forma.

Noord-Holland in het begin van de 17-de
eeuw. De grote droogmakerijen van Leeghwater staan voor de deur. Zaan & Waterland
worden in het noorden nog begrensd door
Purmer en Wormer. In het zuiden moet het IJ
op zijn huidige vorm zelfs nog tot na het
midden van de 19-de eeuw wachten.

1 | Zaandam

De Zaan, de levensader van Nederlands oudste industriegebied, slingert zich in zuidelijke richting door Zaandam naar de Oude Haven en het Noordzeekanaal. In het begin van de 17-de eeuw werden hier de eerste houtzaagmolens in gebruik genomen, het begin van de industrie.

The Zaan, lifeline for the Netherlands' oldest industrial area, winds its way southwards through Zaandam to the Old Harbour and the North Sea. The first sawmills were built here at the beginning of the 17th century signifying the start of industry.

Die Zaan, Lebensader des ältesten Industriegebiets der Niederlande, windet sich in südlicher Richtung durch Zaandam zum Oude Haven (Alter Hafen) in den Noordzeekanaal. Zu àeginn des XVII. Jahrhunderts wurden hier die ersten Holzsägemühlen in Gebrauch genommen, der Beginn der Industrie.

La Zaan, source de vie de la plus ancienne région industrielle des Pays-Bas. Elle sinue en direction du sud à travers la ville de Zaandam vers le Oude Haven (Vieux Port) et le Noordzeekanaal (Canal de la mer du Nord). Au début du 17ème siècle, on a mis en service ici les premiers moulins à scier le bois, ce qui constitua le début de l'industrie.

La Zaan, fonte di vita della più antica regione industriale dei Paesi Bassi. Serpeggia in direzione del Sud attraversando la città di Zaandam, verso l'Oude Haven (Vecchio Porto) e il Noordzeekanaal (Canale del Mare del Nord). All'inizio del 17° secolo, con la messa in funzione dei primi mulini per segare il legno, cominciò lo sviluppo dell'industria.

El río Zaan, es la fuente de vida de la mas antigua región industrial de los Países-Bajos. Este serpentea en dirección sur por la ciudad de Zaandam hacia el Oude Haven (Viejo Puerto) y el Noordzeekanaal (Canal del Mar del Norte). A principios del siglo XVII, los primeros molinos para serrar madera se pusieron en servicio aquí, lo que significó el inicio de la industria.

Provisiekast van Nederland

Vorratskammer der Niederlande

The Netherlands' pantry

La dispensa dei Paesi Bassi

L'armoire à provisions des Pays-Bas

La despensa de los Países-Bajos

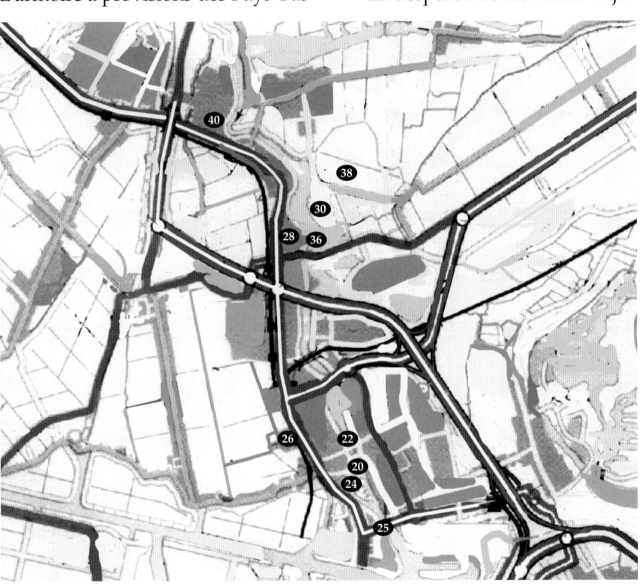

20: De Sluis	26: Station	34: Zaanse Schans
22: De Dam	28: Zaandijk	36: De Zaan
24: Czaar Peter	30: Zaanse Schans	38: Kalverpolder
25: Den Uylbrug	32: Zaanse Schans	40: Wormerveer

1 | De Sluis

Het centrum van Zaandam en de Sluis naar de Oude Haven. Toen keizer Napoleon in 1811 hier aanwezig was zou hij zich de uitroep hebben laten ontvallen: Sans Pareil! Onvergelijkelijk! Dat sloeg op de molens die toen het stadsbeeld nog domineerden. De fabrieken waren er toen ook al.

The centre of Zaandam and the Sluis towards the Old Harbour. When Emperor Napoleon was here in 1811 he would have exclaimed: Sans Pareil! Beyond Compare! He was referring to the mills which dominated the town's image at that time. The factories had also already been built.

Le centre de la ville de Zaandam et l'écluse en direction de l'Oude Haven. Quand l'empereur Napoléon Ier vint ici en 1811, il se serait exclamé : "Sans pareil !" en parlant des moulins qui dominaient alors le panorama de la ville. Il y avait déjà des usines à cette époque.

Das Zentrum von Zaandam und die Schleuse in Richtung Oude Haven. Als der Kaiser Napoleon im Jahre 1811 hier anwesend war, soll ihm der Ausruf "sans pareil!" (unvergleichlich) entfallen sein. Das bezog sich auf die Mühlen, die damals noch das Stadtbild beherrschten. Die Fabriken waren auch schon da.

Il centro della città di Zaandam e la chiusa in direzione dell'Ouden Haven. L'Imperatore Napoleone I° che venne qui nel 1811, avrebbe esclamato: "Sans pareil!"(incomparabile), parlando dei mulini che dominavano all'epoca il panorama della città. A quel tempo, c'erano già alcune fabbriche.

El centro de la ciudad de Zaandam y la esclusa en dirección Oude Haven. Cuando el emperador Napoleón estuvo aquí en 1811, parece ser que exclamó: '¡Sans pareil. Incompararable!'. Con ello se refería a la época cuando los molinos todavía dominaron el panorama de la ciudad. En aquella época ya había factorías.

1 | De Dam

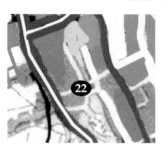

In de 14de eeuw onstond aan weerszijden van de Zaan een nieuwe nederzetting.
Aan het einde van die eeuw kwam de Dam tot stand en werden de twee nederzettingen samengesmeed tot Zaandam.
Bij het bezoek van Napoleon in 1811 kreeg de stad stadsrechten.

A new settlement was established in the 14th century on both sides of the Zaan. The Dam grew up at the end of the century and the two settlements were merged into one, Zaandam.
The town was granted city rights in 1811 during Napoleon's visit.

Au 14ème siècle, se créa de chaque côté de la Zaan une nouvelle colonie d'habitants.
A la fin du siècle, la digue fut achevée et les deux colonies furent réunies à la ville de Zaandam.
Lors de la visite de Napoléon en 1811, la ville obtint le Droit de cité.

Im XIV. Jahrhundert entstand an beiden Seiten der Zaan eine neue Siedlung.
Am Ende des Jahrhunderts entstand der Damm und die beiden Siedlungen wurden vereint zu Zaandam.
Anlässlich des Besuchs von Napoleon im Jahre 1811 bekam die Stadt Stadtrechte.

Nel 14° secolo, s'insediò sui due lati della Zaan una nuova colonia di abitanti.
Alla fine del secolo, la diga venne terminata e le due colonie furono riunite alla città di Zaandam.
Durante la visita di Napoleone, nel 1811, la città ottenne il Diritto di Cittadinanza.

En el siglo XIV se formó un nuevo asentamiento a ambas orillas del río Zaan.
A finales de este siglo se terminaron las obras del dique y se unieron los dos asentamientos a Zaandam.
La ciudad obtuvo sus derechos de ciudad durante la visita de Napoleón en 1811.

Zaanstad nu is een jonge gemeente die in 1974 tot stand kwam uit de gemeenten Zaandam, Assendelft, Koog aan de Zaan, Krommenie, Westzaan, Wormerveer en Zaandijk. Ruim 130.000 inwoners en de dertiende gemeente van Nederland. Het nieuwe stadhuis kwam in Guisveld, Zaandijk.

Zaanstad today is a young borough, formed in 1974 out of Zaandam, Assendelft, Koog aan de Zaan, Krommenie, Westzaan, Wormerveer and Zaandijk. It now has a population of at least 130,000 and is the 13th borough in Holland. The new town hall was erected in Guisveld, Zaandijk.

Zaanstad est aujourd'hui une jeune commune qui fut créée en 1974 à partir des communes de Zaandam, Assendelft, Koog aan de Zaan, Krommenie, Westzaan, Wormerzee et Zaandijk : avec 130000 habitants, c'est la treizième commune des Pays-Bas. Le nouvel hôtel de ville a été construit à Guisveld, Zaandijk.

Zaanstad ist heute eine junge Gemeinde, die 1974 aus den Gemeinden Zaandam, Assendelft, Koog aan de Zaan, Krommenie, Westzaan, Wormerveer und Zaandijk entstand. Mit mehr als 130.000 Einwohnern ist es die dreizehnte Gemeinde der Niederlande. Das neue Rathaus steht in Guisveld, Zaandijk.

Zaanstad è oggi un Comune recente creato nel 1974 in seguito al raggruppamento delle città di Zaan, Assendelft, Koog aan de Zaan, Krommenie, Westzaan, Wormerveer e Zaandijk: con 130.000 abitanti, è il tredicesimo Comune dei Paesi Bassi. Il nuovo Municipio è stato costruito a Guisveld, Zaandijk.

En la actualidad Zaanstad es un joven municipio creado en el año 1974 a partir de los municipios Zaandam, Assendelft, Koog aan de Zaan, Krommerie, Westzaan, Wormerveer en Zaandijk. Con más de 130.000 habitantes es el treceavo municipio de los Países-Bajos. El nuevo ayuntamiento se construyó en Guisveld, Zaandijk.

1 | Czaar Peter

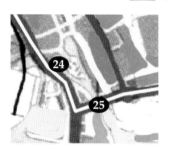

Langs de oevers van de Zaan draaiden in de 18-de eeuw meer dan 600 molens en op de werven stonden meer dan 300 schepen op stapel. Onder het pseudoniem van Peter Michaelof leerde Peter de Grote hier in 1697 het scheepstimmervak. Het Czaar Peterhuisje in de Russische buurt herinnert daar nog aan.

More than 600 mills operated along the banks of the Zaan during the 18th century and the shipyards launched more than 300 ships. Under the pseudonym Peter Michaelof, Peter the Great learned the shipbuilding trade here in 1697. The Czar Peter House in the Russian Quarter is a reminder of this fact.

Den Uylbrug

Au 18ème siècle, au bord de la Zaan, tournaient plus de 600 moulins et sur les chantiers navals se trouvaient plus de 300 bateaux en construction. Sous le pseudonyme de Peter Michaelof, Pierre le Grand a appris ici en 1697 le métier de charpentier naval. Comme souvenir, il en reste toujours la petite maison Czaar Peterhuisje dans le quartier russe.

Längs der Ufer der Zaan drehten im XVIII. Jahrhundert mehr als 600 Mühlen und auf den Werften standen mehr als 300 Schiffe auf dem Stapel. Unter dem Pseudonym von Peter Michaelof lernte Peter der Grosse hier im Jahre 1697 den Beruf des Schiffzimmermanns. Das Zar Peter-Häuschen im russischen Viertel erinnert noch daran.

Nel 18° secolo, in riva al fiume Zaan, giravano più di 600 mulini e sui cantieri navali erano in costruzione più di 300 navi. Con lo pseudonimo di Peter Michaelof, Pietro il Grande imparò qui, nel 1697, il mestiere di carpentiere navale. In ricordo, rimane oggi la piccola casa Czaar Peterhuisje, nel quartiere russo.

En el siglo XVIII, giraban a lo largo de ambas orillas del río Zaan más de 600 molinos y en los astilleros había más de 300 barcos en los varaderos. Bajo el seudónimo de Peter Michaelof, Pedro el Grande aprendió aquí en 1697 el oficio de carpintero naval. La caseta del Zar Pedro en el barrio ruso nos recuerda aquellos tiempos.

De opening van het Noordzeekanaal was in 1876 en twee jaar later was er de spoorverbinding met Amsterdam. Het wegverkeer moest op een vaste verbinding wachten tot de Coentunnel in 1966. De zuidelijke aansluiting met de Den Uylbrug, met standbeeld van Jan Wolkers, kwam nog later.

The North Sea Channel was opened in 1876 and two years later the railway connection to Amsterdam. Road traffic had to wait for a permanent connection until the Coen Tunnel was opened in 1966. The southern junction to the Den Uyl bridge with its Jan Wolkers statue came even later.

En 1876 eut lieu l'ouverture du Noordzeekanaal et deux ans plus tard la liaison ferroviaire avec Amsterdam. Pour la route, il fallut attendre jusqu'en 1966 le percement du tunnel Coentunnel. La liaison sud, avec le pont Den Uylbrug et la statue de l'écrivain Jan Wolkers, fut créée plus tard.

Im Jahre 1876 war die Eröffnung des Noordzeekanaals und zwei Jahre später entstand die Eisenbahnverbindung mit Amsterdam. Der Strassenverkehr musste auf eine gute Verbindung warten, bis im Jahre 1966 der Coentunnel gebaut wurde. Der südliche Anschluss mit der Brücke Den Uylbrug und der Statue des Schriftstellers Jan Wolker kam noch später.

Nel 1876 fu realizzata l'apertura del Noordzeekanaal e, due anni dopo, il collegamento ferroviario con Amsterdam. Per la strada, fu necessario aspettare, fino al 1966, il traforo della galleria Coentunnel. Il collegamento Sud, con il ponte Den Uylbrug e la statua dello scrittore Jan Wolkers fu creato più tardi.

La apertura del Noordzeekanaal (canal del Mar del Norte) tuvo lugar en 1876 y dos años más tarde se realizó el enlace ferroviario con Amsterdam. La circulación vial tuvo que esperar hasta la excavación del Coentunnel en 1966. La conexión hacia el sur con el puente Den Uylbrug, con la estatua del autor Jan Wolkers, se realizó más tarde.

1 | Station

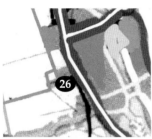

De markante Hemspoorbrug werd in 1983 vervangen door de Hemspoortunnel. Een geheel nieuw station kwam in Zaandam kwam toen eveneens tot stand. De spoorverbindingen zijn naar Amsterdam en Schiphol enerzijds en naar Purmerend en Alkmaar anderzijds.

The impressive Hemspoor Bridge was replaced in 1933 by the Hemspoor Tunnel. A completely new station was built for Zaandam at the same time. The railway runs to Amsterdam and Schiphol on one side and to Purmerend and Alkmaar on the other.

L'imposant pont Hemspoorbrug fut remplacé en 1983 par le tunnel Hemspoortunnel. On construisit en même temps à Zaandam une gare toute neuve. Les liaisons ferroviaires conduisent d'un côté à Amsterdam et l'aéroport de Schiphol et de l'autre à Purmerend et Alkmaar.

Die markante Brücke Hemspoorbrug wurde 1983 durch den Hemspoortunnel ersetzt. In Zaandam entstand ebenfalls ein ganz neuer Bahnhof. Die Eisenbahnverbindungen gehen nach Amsterdam und Schiphol einerseits und nach Purmerend und Alkmaar andererseits.

L'imponente ponte Hemspoorbrug venne sostituto nel 1983 dalla galleria Hemspoortunnel. Contemporaneamente fu costruita a Zaandam una nuovissima stazione. I collegamenti ferroviari conducono, da una parte ad Amsterdam e all'aeroporto di Schiphol, dall'altra a Purmerend e Alkmaar.

El impresionante puente-ferroviario Hemspoorbrug fue reemplazado por el túnel Hemspoortunnel en 1983. En este mismo año se construyó la nueva estación de Zaandam. Las conexiones ferroviarias enlazan por un lado con Amsterdam y Schiphol, y por el otro con Purmerend y Alkmaar.

1 | Zaandijk

Zaandijk: één van de karakteristieke plaatsen van de Zaanstreek. Op een klein gebied verbinden vijf bruggen van evenzoveel types de verschillende stadsdelen met elkaar. De Verkadefabrieken op een vroege luchtfoto in 1922. De Zaanstreek was het Rijk van Koningin Industrie.

Zaandijk: one of the Zaan region's most characteristic places. Within a small area, five bridges built in five different styles, join up the various town districts. Here are the Verkade factories on an aerial photo from 1922. The Zaan region was Queen Industry's Kingdom.

Zaandijk : une des villes caractéristiques de la région Zaanstreek. Sur une petite superficie, cinq ponts relient autant de types de quartiers différents de la ville. Les usines Verkade sur une vieille photo aérienne de 1922. La Zaanstreek était le royaume de la Reine Industrie.

Zaandijk ist eine der charakteristischen Städte aus dem Gebiet Zaanstreek. Auf einem kleinen Gebiet verbinden 5 Brücken ebensoviele verschiedene Stadtteile miteinander. Die Verkade-Fabriken auf einer alten Luftaufnahme von 1922. Das Gebiet Zaanstreek war das Reich der Koningin Industrie.

Zaandijk: una delle città caratteristiche della regione Zaanstreek. Su una piccola superficie, cinque ponti collegano altrettanti diversi quartieri della città. Le fabbriche Verkade, in una vecchia fotografia aerea del 1922. La Zaanstreek era il regno della "Regina" industria.

Zaandijk: una de las ciudades típicas de la región Zaanstreek. En una área reducida, cinco puentes cada uno de un estilo diferente, unen los diferentes barrios de la ciudad. Las factorías de Verkade en una vista aérea de 1922. La región del Zaan era el reino de la 'Industria Reina'

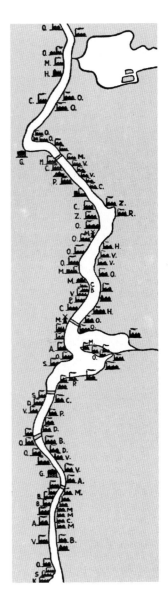

Een overzicht van de diversiteit aan het eind van de jaren dertig: Oliefabrieken (O), Meel en Graan (M), Hout (H), Gasfabrieken (G), Scheepshellingen (R), Brood en banket (B), Verf (V), Koffie (K), Stijfsel (S), Zeep (Z) en Apparaten en Machinefabrieken (A).

To illustrate the diversity of industry at the end of the 1930s: oil factories (O), flour and grain (M), wood (H), gas factories (G), slipways (R), bread and confectionary (B), paint (V), coffee (K), starch (S), soap (Z) and appliances and machinery factories (A).

Une vue de la diversité à la fin des années 1930 : les fabriques d'huile (O), les usines de farine et de blé (M), bois (H), gaz (G), chantiers navals (R), pain et pâtisserie (B), peinture (V), café (K), amidon (S), savon (Z), appareils et machines (A).

Eine Uebersicht über die Verschiedenheit der Industriebranchen am Ende der dreissiger Jahre: Ölfabriken (O), Mehl und Getreide (M), Holz (H), Gasfabriken (G), Schiffshellingen (R), Brot und Gebäck (B), Farben (V), Kaffee (K), Stärke (S), Seife (Z), Apparate und Maschinenfabriken (A).

Una vista della grande varietà alla fine degli anni 1930: le fabbriche d'olio (O), di farina e grano (M), legno (H), gas (G), cantieri navali (R) pane e pasticcerie (B), vernici (V), caffè (K), amido (S), sapone (Z) apparecchiature e macchine (A).

Una panorámica de la variedad de la industria a finales de los años treinta: fábricas de aceite (O), harina y cereales (M), madera (H), gas (G), astilleros (R), panadera y pastelera (B), pintura (V), café (K), almidón (S), jabón (Z), aparatos y maquinaria (A).

1 | Zaanse Schans

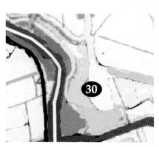

Tal van takken van nijverheid zijn verdwenen, maar kleine bedrijven groeiden hier ook uit tot grote wereldconcerns die nu nog actief zijn. In de Zaanse Schans werd het eerste winkeltje van Albert Heyn van 1887 in 1967 zorgvuldig nagebouwd.
Het is nu de museumwinkel.

Many areas of industry have disappeared but some small businesses grew into large worldwide concerns that are still operating today. The first Albert Heyn shop (now a major supermarket chain) in 1887 was carefully reconstructed in the Zaanse Schans in 1967.
It is now the museum shop.

Comme partout, de nombreuses branches d'activité ont disparu, mais de petites entreprises devenues des grandes d'envergure mondiale sont toujours en activité ici. Au Zaanse Schans (Bastion de la Zaan) fut reconstruit en 1967 le premier petit magasin d'Albert Heijn de 1887.
C'est maintenant un magasin-musée.

Eine Anzahl von Gewerbebranchen sind verschwunden, aber kleine Betriebe wuchsen hier auch zu Weltkonzernen aus, die jetzt noch aktiv sind. 1967 wurde in der Zaanse Schans der erste Laden von Albert Heijn aus dem Jahre 1887 sorgfältig nachgebaut. Es ist jetzt ein Laden-Museum.

Come dappertutto, numerosi settori d'attività sono spariti, ma alcune piccole ditte, diventate grandi e di importanza mondiale, sono qui sempre attive.
Al Zaanse Schans (Bastione della Zaan) fu ricostruito nel 1967 il primo negozietto di Albert Heijn del 1887.
E' oggi un negozio-museo.

Como en todas partes numerosos ramos de industria han ido desapareciendo, pero algundas de las pequeñas empresas de esta zona se transformaron en empresas de envergadura mundial y siguen siendolo hasta nuestros días. En el Zaanse Schans, se reconstruyó en 1967 el primer 'colmado' de Albert Heijn, que data del 1887. Actualmente es una tienda-museo.

1 | Zaanse Schans

De Zaanse Schans: herinnering aan een roemrijk verleden. Op de plaats waar eens de watergeuzen in een zeshoekige schans een belegering en een bestorming van de Spanjaarden weerstonden, verrees een schilderachtige Zaanse buurt met fraaie voorbeelden van oud-Zaanse houtbouw.

The Zaanse Schans reminds us of a glorious past. Where once the Sea Beggars resisted a siege and attack by the Spanish with a six-sided entrenchment, there now thrives a picturesque Zaanse town with many fine examples of old Zaanse wooden buildings.

Le Zaanse Schans : souvenir d'un passé glorieux. A l'endroit où autrefois les gueux, dans un bastion hexagonal, résistèrent à un siège et une attaque des Espagnols, s'est développé un pittoresque quartier zaanois avec de magnifiques exemples d'anciennes constructions en bois zaanoises.

Die Zaanse Schans: Erinnerung an eine ruhmreiche Vergangenheit. Auf dem Platz, wo einst die Wassergeusen in einer sechseckigen Schanze einer Belagerung und einem Angriff der Spanier widerstanden, entstand ein malerischen Stadtteil mit schönen Beispielen von alten Holzhäusern im typischen Stil der Gegend Zaan.

Il Zaanse Schans: ricordo di un passato glorioso. Sul luogo dove una volta i pezzenti, da un bastione esagonale, resistettero ad un assedio e ad un attacco degli Spagnoli, si è sviluppato un pittoresco quartiere zaanese, con magnifice esempi di antiche costruzioni in legno zaanesi.

El Zaanse Schans: recuerdo de un glorioso pasado. En el lugar donde una vez en un bastión hexagonal, los 'pordioseros' del agua, resistieron a un asedio y a un asalto de los Españoles, se levantó un pintoresco barrio zaanés con típicas viviendas zaanesas construidas en madera.

Fue necesario cielo y tierra para que se pudiera llevaese a cabo la realización de la obra del arquitecto Jacob Schepper, quién fue una vez el ganador del Premio de Roma. Este quiso construir un museo al aire libre con casas y molinos típicamente zaaneses en el polder Kalverpolder, justo frente al Zaandijk.

Fu necessario smuovere cielo e terra prima di poter iniziare la realizzazione del progetto dell'architetto Jacob Schepper, vincitore all'epoca del Premio di Roma, il quale voleva creare un museo all'aria aperta di case e mulini zaanesi nel polder Kalverpolder, proprio di fronte alla città di Zaandijk.

Es kostete viel Mühe bevor mit der Ausführung der Idee des Architekten Jacob Schepper, früherer Rom-Preisträger, begonnen werde konnte. Er wollte in der Kalverpolder, gegenüber Zaandijk ein Reservat für Häuser und Mühlen schaffen.

Il fallut remuer ciel et terre avant de pouvoir commencer à réaliser l'idée de l'architecte Jacob Schepper, qui a gagné à l'époque le Prix de Rome. Il voulait créer un musée de plein air de maisons et de moulins zaanois dans le polder Kalverpolder, juste en face de la ville de Zaandijk.

Het heeft heel wat voeten in de aarde gehad voor kon worden begonnen met de uitvoering van het idee van architect en eens winnaar van de Prix de Rome Jacob Schepper. Hij wilde in de Kalverpolder tegenover Zaandijk een reservaat voor Zaanse huizen en molens.

A great deal of ground was covered before the architect and winner of the Prix de Rome, Jacob Schepper's idea could be realised. He wanted a reserve set up in the Kalverpolder opposite Zaandijk for Zaanse houses and mills.

1 | Zaanse Schans

This area was in the early days even as far as Russia renowned for the art of wooden ship building. Also the houses with the characteristic colours green and white were built from wood. Five mills have been renovated and stand today in all their glory, remembering the days energy was supplied only by wind and nature. Electricity was not in use before 1914.

Un grand nombre de maisons en bois qui autrement auraient été sacrifiées sont réunies ici. Cinq "travailleurs" (moulins) robustes et centenaires marquent les rives de la Zaan. Ils sont le souvenir d'une époque où l'activité zaanoise était dépendante de la force du vent. Ce n'est qu'en 1914 qu'on a installé ici l'électricité.

Eine grosse Anzahl Holzhäuser, die sonst verloren gewesen wären, sind hier zusammengebracht. Fünf jahrhundertealte kräftige "Arbeiter" (Mühlen) markieren die Ufer der Zaan. Sie erinnern an die Zeit, in der das Zaanische Gewerbe von der Windkraft abhängig war. Erst im Jahre 1914 wurde hier Elektrizität angewendet.

Un grande numero di case di legno che sarebbero state altrimenti distrutte vi sono riunite. Cinque "Lavoratori" (mulini) robusti e centenari delimitano le sponde della Zaan. Sono il ricordo di un'epoca dove l'attività zaanese era dipendente della forza del vento. L'elettricità è stata installata in questa zona solamente nel 1914.

Se pueden encontrar aquí gran número de casas construidas en madera, que en condiciones normales hubiesen sido derrumbadas. Cinco seculares y robustos trabajadores – en forma de molinos –, resaltan a ambas orillas del río Zaan. Son el recuerdo de una época en que la industria zaanesa todavía dependía de la fuerza del viento. Hasta 1914 no se instaló la corriente eléctrica.

Een groot aantal houten huizen die anders zouden zijn opgeofferd zijn hier bijeengebracht. Vijfeeuwenoude stoere werkers markeren de oever van de Zaan. Zij herinneren aan de tijd waarin de Zaanse bedrijvigheid van windkracht afhankelijk was. Eerst in 1914 werd hier elektriciteit toegepast.

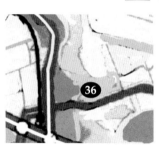

De oudste molen, De Ooievaar, begon in 1622 met het slaan van olie. Zijn soortgenoot De Zoeker is iets meer dan vijftig jaar jonger. De Huisman maakte sinds 1780 de welbekende Zaanse mosterd. De Kat dateert van 1781. De Gekroonde Poelenburg is de jongste, die zaagt sinds 1869 van dik hout planken.

The oldest mill, the Ooievaar (stork) began striking for oil in 1622. The Zoeker (searcher) mill was the same type but was built some 50 years later. The Huisman (househusband) mill has produced the famous Zaanse mustard since 1780. The Kat (cat) is from 1781. The Gekroonde Poelenburg is the most recent mill which has sawn thick wooden planks since 1869.

C'est en 1622 que le plus ancien moulin, De Ooievaar, a commencé à produire de l'huile. Son homologue, De Zoeker, est d'un peu plus de cinquante ans plus jeune. Le moulin Huisman fabriquait depuis 1780 la célèbre moutarde zaanoise. Le moulin De Kat date de 1781. Enfin, si le moulin De Gekroonde Poelenburg est le plus jeune, il scie depuis 1869 déjà d'épaisses planches de bois.

Die älteste Mühle, De Ooievaar, begann im Jahre 1622 Öl zu produzieren. Ihr Pendant, De Zoeker, ist über fünfzig Jahre jünger. De Huisman fabrizierte seit 1780 den weltbekannten zaanischen Senf. De Kat stammt aus dem Jahre 1781. De Gekroonde Poelenburg ist die jüngste Mühle. Sie sägt seit 1869 dicke Holzbretter.

Fu nel 1622 che il più vecchio mulino, De Ooievaar, cominciò a produrre olio. Il suo omologo, De Zoeker, è più recente di pressappoco cinquant'anni. Il mulino Huisman fabbrica fin dal 1780 la famosa senape zaanese. Il mulino De Kat risale al 1781. Infine, se il mulino De Gekroonde Poelenburg è il più recente, già dal 1869 sega spesse assi di legno.

En el año 1622, el molino más antiguo De Ooievaar empezó a producir aceite. Su holmólogo 'De Zoeker' tiene unos 50 años menos. El molino Huisman elabora desde 1780 la famosa mostaza zaanesa. El molino De Kat data de 1781. Y finalmente, De Gekroonde Poelenburg, el molino más reciente, donde desde 1869 se sierran espesas tablas de madera.

1 | Kalverpolder

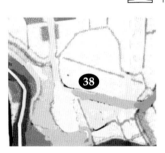

Om het museum de Zaanse Schans heen grazen de koeien in de Kalverpolder. Want behalve veel industrie en museale activiteiten kent de Zaanstreek ook nog veel groen en wijd polderland. Als we met de rug naar de schoorstenen staan dan lijken de eeuwen even stil te staan.

The cows graze on the Kalverpolder around the Zaanse Schans museum, because along with much industrial and museological activity, the Zaan district is very green with wide polder areas. If we stand with our backs to the chimneys we can almost believe that the centuries have stood still.

Autour du musée Zaanse Schans, les vaches broutent dans le Kalverpolder. En effet, outre ses nombreuses activités dans l'industrie et les musées, la Zaanstreek comprend encore de vastes étendues d'herbe verte et de polders. Et si l'on se tient dos aux cheminées, le temps semble s'être arrêté.

Rund um das Museum Zaanse Schans grasen die Kühe im Kalverpolder. Denn neben vielen Aktivitäten in der Industrie und den Museen besitzt das Gebiet Zaanstreek auch noch viel Grünland und weite Polder. Wenn wir mit dem Rücken zu den Schornsteinen stehen, dann scheinen die Jahrhunderte still zu stehen.

Attorno al museo Zaanse Schans, le mucche brucano nel Kalverpolder. In effetti, oltre alle sue numerose attività nell'industria o nei musei, la Zannstreek comprende anche vaste distese d'erba verde e di polder. E se si girano le spalle alle ciminiere, il tempo sembra fermarsi.

En torno al museo Zaanse Schans pastan las vacas en el Kalverpolder.Ef efecto, además de las muchas actividades industriales y museos, el Zaanstreek posee todavía extensas zonas verdes y polders. Situados de espalda a las chimeneas, da la sensación que se ha detenido el tiempo.

1 | Wormerveer

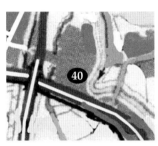

Ook langs de oevers van de Zaan in Wormerveer is er veel activiteit. In 1765 begon een neef in de verkoop van de zaak van zijn oom in kanarie-, mosterd- en andere zaden. Het grote wereldconcern Wessanen kwam hier uit voort. De Zaanse industrie verkoopt zijn produkten over de hele wereld.

There is also a lot of activity along the banks of the Zaan in Wormerveer. In 1765 a nephew began selling canary, mustard and other seeds in his uncle's shop. The international Wessanen concern emerged from this humble beginning. Zaanse industry sells products all over the world.

Les rives de la Zaan, à Wormerveer, se caractérisent aussi par une grande activité. En 1765, un neveu commença à vendre, dans l'entreprise de son oncle, des graines pour canaris, des graines de moutarde, etc. C'est ainsi qu'est né le grand trust mondial Wessanen. L'industrie zaanoise vend ses produits partout dans le monde.

Auch längs der Ufer der Zaan in Wormerveer gibt es viele Betriebe. Im Jahre 1765 begann ein Neffe in der Firma seines Onkels Samenkörner für Kanarienvögel, Senfsamen usw. zu verkaufen. So entstand der grosse Weltkonzern Wessanen. Die Zaanische Industrie verkauft seine Produkte in der ganzen Welt.

Anche le rive della Zaan, a Wormerveer, sono caratterizzate da una grande attività. Nel 1765, un nipote cominciò a vendere, nell'impresa dello zio, semi per canarini, semi di senape, ecc. E cosí nacque il grande trust mondiale Wessanen. L'industria zaanese vende i suoi prodotti nel mondo intero.

A lo largo de las orillas del Zaan en Wormerveer existe también gran actividad. En 1765 un sobrino comenzó a vender alpiste para canarios y otros tipos de semillas para pájaros en la tienda de su tío. Fue el origen del gran trust mundial Wessanen, que exporta sus productos en el mundo entero.

2 | Purmerend

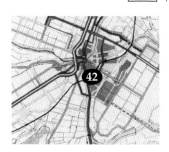

De Wheere en de Beemsterringvaart zijn de levensaders van het zeventiende eeuwse Purmerend. Het hart van het klaverblad dat wordt gevormd door de dan nog jonge droogmakerijen de Beemster, de Purmer en de Wijde Wormer. Die veenmeren werden tussen 1612 en 1628 bedijkt.

The Wheere and Beemsterring waterways were 17th century Purmerend's lifelines. They were the heart of the cloverleaf formed by the then newly established polders – the Beemster, the Purmer and the Wijde Wormer. The peat lakes were diked in between 1612 and 1628.

Les canaux Wheere et Beemster-ringvaart sont les artères de vie de la ville du dix-septième siècle de Purmerend. C'est le coeur de la feuille de trèfle formée par les polders Beemster, Purmer et Wijde Wormer, encore jeunes à l'époque. Ces lacs de tourbe furent ceinturés par des digues entre 1612 et 1628.

Die Kanäle Wheere und Beemsterringvaart sind die Lebensadern der aus dem XVII. Jahrhundert stammenden Stadt Purmerend. Das Herz des Kleeblatts, welches durch die damals noch neue Trockenlegung der Polder De Beemster, De Purmer und De Wijde Wormer geformt wurde. Die Moorseen wurden zwischen 1612 und 1628 mit einem Deich umringt.

I canali Wheere e Beemstringvaart corrispondono alle arterie vitali di Purmerend, città del diciassettesimo secolo, cuore della foglia di trifoglio formato dai polder Beemster, Purmer e Wijde Wormer, ancora giovani all'epoca. Questi laghi di torba furono cinturati da dighe tra il 1612 e il 1628.

Los canales Wheere y el Beemsterringvaart, son las arterias vitales de Purmerend, ciudad que data del siglo XVII. Es el corazón de un trébol formado por los polders – todavía jóvenes en aquella época – Beemster, Purmer y Wijde Wormer. Estos lagos de turba fueron cercados por un dique entre 1612 y 1618.

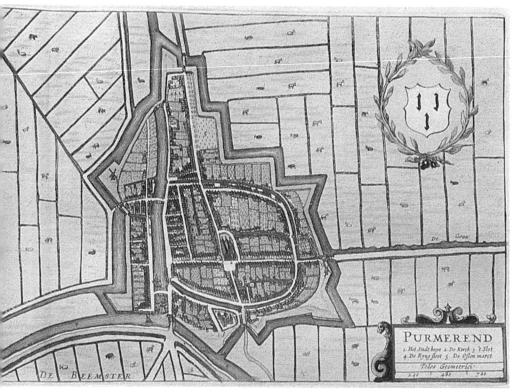

Auf dem Luftfoto von 1935 sehen wir noch deutlich die Übereinstimmung mit der Blaeukarte aus dem XVII. Jahrhundert. Auch 1953 ist sie noch erkennbar. In den siebziger Jahren macht die Stadt den Sprung über die Wheere. Städtebauer hatten beschlossen dass Purmerend eine Stadt mit rund hunderttausend Einwohnern werden sollte.

Sulla fotografia aerea del 1935, si indovina ancora la conformità di questo paesaggio con la carta di Blaeu del 17° secolo ed esso è ancora riconoscibile sulla fotografia del 1953. Negli anni '70, la città attraversa il canale Wheere. Gli urbanisti avevano deciso che Purmerend avrebbe dovuto svilupparsi fino a diventare una città di qualche centomila abitanti.

Sur la photo aérienne de 1935, on aperçoit encore la conformité de ce paysage avec la carte de Blaeu du 17èmè siècle, et il est toujours reconnaissable sur la photo de 1953. Dans les années 70, la ville franchit le canal Wheere. Des urbanistes avaient décidé que Purmerend devait se développer jusqu'à être une ville de quelque cent mille habitants.

En la vista aérea de 1935, se ven claramente las semejanzas con el mapa de Bleau del siglo XVII, que aún son reconocibles en la foto de 1953. En los años 70, la ciudad franquea el canal Wheere. Los urbanistas habían decidido que Purmerend debía desarrollarse hasta constituir una ciudad de unos 100.000 habitantes.

The similarities with the 17th century Blaeu map are clearly visible on this 1935 aerial photo. 1953 is still recognisable. In the 1970s the town moves across the Wheere. Planners had decided that Purmerend should grow to a town with at least 100,000 residents.

Op de luchtfoto uit 1935 zien we nog duidelijk de overeenkomsten met de 17-de eeuwse Blaeukaart. Ook 1953 is nog herkenbaar. In de jaren '70 maakt de stad de sprong over de Wheere. Ordenaars van de ruimte hadden bepaald dat Purmerend moest groeien tot een stad van zo'n honderdduizend inwoners.

2 | Raadhuis

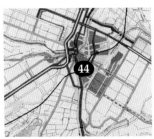

Het nieuwe land, dat met geld van Amsterdamse kooplieden bedijkt was, zorgde voor de opbloei tot marktplaats van het middeleeuwse vissersdorp Purmerend. Weliswaar had dat al in 1410 stadsrechten gekregen, maar het werd pas in 1573 door een muur, een gracht en bastions beschermd.

The new land, which had been diked in with money from Amsterdam merchants, helped the medieval fishing village Purmerend to flourish into a market town. It is true that it had been granted city rights back in 1410, but it took until 1573 before it was protected by a wall, moat and bastions.

La nouvelle région née de la ceinture de digues due à l'argent des commerçants d'Amsterdam a provoqué la transformation du village médiéval de pêcheurs de Purmerend en une ville marchande. Celle-ci avait déjà reçu en 1410 le Droit de cité, mais il fallut attendre 1573 pour qu'elle soit protégée par un canal, des remparts et des bastions.

Das neue Land, welches durch die Deiche entstand, die mit dem Geld Amsterdamer Kaufleute errichtet wurden, verwandelte das mittelalterliche Fischerdorf Purmerend in eine Handelsstadt. Zwar hatte Purmerend schon in Jahre 1410 Stadtrechte bekommen, aber es dauerte bis 1573 bevor sie durch eine Mauer, einen Kanal und ein Bollwerk beschützt wurde.

La nuova regione, nata dalla cintura di dighe, grazie ai soldi dei commercianti di Amsterdam, ha provocato la trasformazione del villaggio medievale di pescatori di Purmerend in una città mercantile. Questa aveva già ricevuto il Diritto di Cittadinanza nel 1410, ma si dovette aspettare il 1573 perché fosse protetta da un canale, muraglie e bastioni.

La nueva tierra nacida del cinturón de diques construidos gracias al dinero de los comerciantes de Amsterdam, ha provocado la transformación de la ciudad medieval pesquera de Purmerend en una ciudad mercantil. Esta ya había recibido en 1410 los derechos de ciudad, pero tuvo que esperar hasta 1573 para ser protegida por una muralla, un canal y fortificaciones.

2 | Jisp

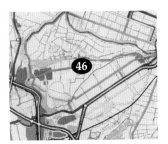

De Waag van het Raadhuis in Jisp heeft een ingang aan het water. Toen het Raadhuis gebouwd werd, in 1650, was Jisp nog een belangrijke plaats voor de walvisvaart en de traankokerij. Maar liefst 70 wezen konden terecht in het plaatselijk weeshuis, want de walvisvaart was niet zonder gevaren.

The Jisp Town Hall Weighing House's entrance is at the waters edge. When the Town Hall was built in 1650, Jisp was still an important place for whaling. There was only room for 70 orphans in the local orphanage, whaling was not without its dangers.

De Waag (le Poids Public) de l'hôtel de ville de Jisp a une entrée directe sur l'eau. Quand l'hôtel de ville fut construit, en 1650, Jisp était encore un important centre de pêche et d'huile de baleines. L'orphelinat local pouvait même accueillir 70 orphelins, car la pêche à la baleine n'était pas sans danger.

De Waag (Waage) vom Rathaus in Jisp hat einen direkten Eingang zum Wasser. Als das Rathaus im Jahre 1650 gebaut wurde, war Jisp noch ein wichtiger Ort für den Walfang und die Trankocherei. In dem örtlichen Waisenhaus fanden bis zu 70 Waisen Platz, denn der Walfang war nicht ohne Gefahren.

De Waag (la Bilancia Pubblica) del Municipio di Jisp ha un ingresso direttamente sull'acqua. Quando il Municipio fu costruito, nel 1650, Jisp era ancora un importante centro di pesca e d'olio di balena. Nell'orfanotrofio locale furono accolti fino a 70 orfanelli, perché la pesca alla balena non era senza rischio.

De Waag (Pesa pública) del ayuntamiento de la ciudad de Jisp, tiene una entrada directa por el agua. Cuando se construyó el ayuntamiento en 1650, Jisp era todavía un centro importante para la pesca de ballenas y la elaboración de aceite proveniente de este cetáceo. El orfelinato local podía acoger hasta 70 huérfanos, puesto que la pesca de ballenas no era sin peligro

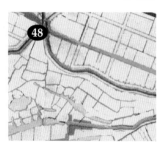

Soortgelijke Raadhuisjes als in Jisp vinden we ook in het nabijgelegen Graft (uit 1613), de Rijp (1630) en Groot-Schermer (1639-1652). De omvang is altijd beperkt en de begane grond was meestal als Waag ingericht. Jisp is nog een steeds een typisch dijkdorp langs de Knollendammervaart.

Ähnliche kleine Rathäuser wie in Jisp findet man auch in dem naheliegenden Graft (von 1613), de Rijp (1630) und Groot-Schermer (1639-1652). Ihr Ausmass ist immer beschränkt und das Erdgeschoss war meistens als Waage eingerichtet. Jisp ist immer noch ein typisches Deichdorf längs des Kanals Knollendammervaart.

Piccoli Municipi, simili a quello di Jisp, si trovano anche nelle città vicine di Graft (1613), De Rijp (1630) e Groot-Schermer (1639-1652). La loro superficie è sempre limitata e i loro pianiterra furono nella maggior parte dei casi attrezzati con una Bilancia Pubblica. Jisp è ancora una tipica cittadina di dighe , lungo il canale Knollendammervaart.

También existen pequeños ayuntamientos de construcción similar al de Jisp en los pueblos vecinos de Graft (1613), Rijp (1630) y Groot-Schermert (1639-1652). Sus superficies son casi siempre reducidas, y sus plantas bajas se utilizaron frecuentemente como Pesa Pública (Waag). Jisp sigue siendo un típico pueblo de diques a lo largo del canal Knollendammervaart.

Similar town halls can be found in nearby Graft (1613), de Rijp (1630) and Groot-Schermer (1639-1652). They are all limited in size and the ground floor was usually used as a weighing house. Jisp is still a typical dike village along the Knollendammer canal.

On trouve également de petits hôtels de ville similaires à celui de Jisp dans les villes proches de Graft (1613), De Rijp (1630) et Groot-Schermer (1639-1652). Leur surface est toujours limitée, et leurs parterres furent dans la plupart des cas aménagés comme Poids Publics. Jisp est toujours une petite ville de digues typique, le long du canal Knollendammervaart.

2 | Purmer, Waterland

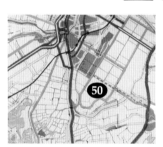

De Purmer werd in 1622 drooggemaald en de Wijde Wormer volgde in 1626.
De legendarische naam van Leeghwater was hieraan verbonden, evenals dat bij de nabijgelegen Beemster ervoor (1612) en bij de Schermer erna (1635) het geval zou zijn. Een luchtfoto uit 1950 van Purmer en Waterland.

The river Purmer was drained in 1622 and the Wijde Wormer in 1626. These activities were part of the legendary Leeghwater's plans for reclaimed land, as were the nearby Beemster before (1612) and the Schermer afterwards (1635). An aerial photo from 1950 of Purmer and Waterland.

El mar interior Zuiderzee era un peligroso vecino para la tierra de turba entre Frisia-Occidental y el IJ. Frisia-Occidental poseía su famoso dique circundante, y el Waterland y el Zaanstreek estaban también protegidos por diques; el Zaan y el Ilp poseían diques con esclusas.

Il mare interno Zuidersee era un vicino pericoloso per il paese di torba situato tra la Frisia dell'Ovest e l'IJ. La Frisia dell'Ovest aveva la sua celebre cintura di dighe e anche il Waterland e la Zaanstreek erano protetti da dighe: c'erano dighe con chiuse sul fiume Zaan e sull'Ilp.

Der Zuiderzee war ein gefährlicher Nachbar für das Moorland zwischen West-Friesland und IJ. West-Friesland war von seinem berühmten Deich umringt und das Waterland und die Zaanstreek waren durch Deiche geschützt: die Flüsse Zaan und Ilp waren mit Deichen und Schleusen versehen.

Le polder Purmer fut asséché en 1622 et le Wijde Wormer en 1626. Le nom légendaire de l'architecte Leeghwater est toujours lié à ces travaux, ainsi qu'à l'assèchement en 1612 du polder Beemster tout proche et en 1635 du polder Schermer. Une photo aérienne de 1950 montre Purmer et le Waterland.

Der Polder Purmer wurde 1622 trockengelegt und der Wijde Wormer folgte im Jahre 1626. Der Architekt Leeghwater ist immer mit diesen Arbeiten verbunden, ebenso wie mit der Trockenlegung des nahegelegenen Polders Beemster zuvor im Jahre 1612 und durch den Polder Schermer danach (1635). Eine Luftaufnahme von 1950 von Purmer und Waterland.

Il polder Purmer fu prosciugato nel 1622 e il Wijde Wormer nel 1626. Il nome leggendario dell'architetto Leeghwater è ancora legato a questi lavori, cosí come al prosciugamento, nel 1612, del vicinissimo polder Beemster e, nel 1635, del polder Schermer. Una fotografia aerea del 1950 mostra Purmer e il Waterland.

El polder Purmer fue desecado en 1622 y el polder Wijde Wormer en 1626. El legendario nombre del arquitecto Leeghwater se relaciona siempre con estas obras, así como con la desecación en 1612 del cercano polder de Beemster y en 1635 del polder de Schermer. Una vista aérea de 1950 de Purmerend y el Waterland.

La mer intérieure Zuidersee était une voisine dangereuse pour le pays de tourbe situé entre la Frise de l'Ouest et l'IJ. La Frise de l'Ouest avait sa célèbre ceinture de digues, et le Waterland et la Zaanstreek étaient également protégés par des digues : il y avait des digues avec écluses sur la rivière Zaan et l'Ilp.

De Zuiderzee was een gevaarlijke buur voor het veenland tussen West-Friesland en het IJ. West-Friesland had zijn legendarische omringdijk en ook Waterland en de Zaanstreek waren door dijken beschermd: in de Zaan en de Ilp lagen dammen met sluizen.

The Zuider Zee was a risky neighbour to the peat bog between West Friesland and the river IJ. West Friesland was surrounded and protected by a dike as were Waterland and the Zaanstreek: dams with sluices were placed in the Zaan and the Ilp.

2 | Broek in Waterland

Broek in Waterland was in de 18-de eeuw het rijkste dorp van Noord-Holland. Op de overzichtsfoto zien we duidelijk de tweebeukige laatgotische Hervormde Kerk.
Niet zichtbaar zijn de houten gewelven, waarin het graf van Neeltje Pater, de steenrijke redersvrouw uit de 18-de eeuw.

Broek in Waterland was North Holland's richest village in the 18th century. This overall photo clearly shows the two-aisled, late Gothic Reformed church. Not visible are the wooden vaults in which Neeltje Pater's grave can be found, she was a very wealthy shipowner's wife in the 18th century.

Broek in Waterland était au 18ème siècle le village le plus riche de la Hollande du Nord. Sur la photo aérienne, on aperçoit clairement les deux nefs de style gothique tardif de l'église réformée. Mais on ne peut pas voir les voûtes de bois sous lesquelles fut enterrée Neeltje Pater, femme richissime d'un armateur du 18ème siècle.

Broek in Waterland war im XVIII. Jahrhundert das reichste Dorf von Nord-Holland. Auf dem Übersichtsfoto sehen wir deutlich die zwei Schiffe der spätgothischen Reformierten Kirche. Nicht sichtbar sind die hölzerne Gewölbe, unter denen sich das Grab von Neeltje Pater, der steinreichen Reedersfrau aus dem XVIII. Jahrhundert befindet.

Broek in Waterland era nel 18° secolo il villaggio più ricco dell'Olanda settentrionale. Sulla fotografia aerea, si distinguono chiaramente le due navate di stile gotico tardivo della chiesa riformata. Ma non si possono vedere le volte di legno sotto le quali si trova la sepoltura di Neeltje Pater, sposa ricchissima di un armatore del 18° secolo.

En el siglo XVIII, Broek in Waterland era la población más rica de la provincia de Holanda del Norte. En la vista aérea resaltan claramente las dos naves de estilo gótico tardío de la iglesia protestante. Lo que no puede verse son las bóvedas de madera bajo las cuales fue enterrada Neeltje Pater, la riquísima mujer de un naviero del siglo XVIII.

2 | Broek in Waterland

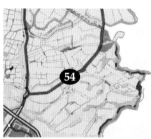

Het moet gezegd worden dat ook hedentendage de welstandsklasse van Broek in Waterland boven het gemiddelde lijkt te liggen. Het is dan ook een uniek dorp met veel mooie oude huizen met houten gevels, waarin het zowel 's zomers als 's winters goed toeven is. En Amsterdam is niet ver!

It must be said that present-day Broek in Waterland's standard of living still seems to be above average. It is a unique village with many beautiful old houses with wooden gables making it a nice place to be in summer and winter. Amsterdam is not far either!

On peut dire encore aujourd'hui que le niveau de revenus de Broek in Waterland est au-dessus de la moyenne. Aussi, avec ses nombreuses belles maisons anciennes aux façades en bois, est-ce un village unique, dans lequel on peut se régaler été comme hiver. Et Amsterdam n'est pas loin !

Auch heute noch kann man sagen, dass das Wohlstandsniveau von Broek in Waterland über dem Durchschnitt liegt. So ist es auch ein einmaliges Dorf mit vielen schönen alten Häusern mit Holzgiebeln, in dem es im Sommer wie im Winter angenehm zu verweilen ist. Und Amsterdam ist nicht weit!

Ancora oggi si può dire che il livello dei redditi di Broek in Waterland è superiore alla media. Così, con le sue belle case antiche dalle facciate di legno, è questo un villaggio unico nel quale ci si può deliziare d'estate come d'inverno. Ed Amsterdam non è lontana!

Se puede decir que la actual clase adinerada de Broek in Waterland, tiene unos ingresos supeiores al promedio. Con sus muchas casas típicas adornadas con fachadas de madera, es un pueblo único, donde se puede disfrutar de su estancia tanto en verano como en invierno. ¡Además Amsterdam esta muy cerca!

2 | Zeeburg

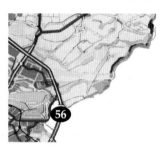

Waterland kreeg er eind vorige eeuw een schiereiland bij, het IJ-eiland beter bekend als Zeeburg, dat aansloot op de dijk naar Schellingwoude. In 1957 werd de Schellingwouderbrug aangelegd en werd de wegverbinding met Waterland via het Buiten-IJ, oostelijk van Amsterdam, in gebruik genomen.

A new peninsula was formed in Waterland at the end of the last century: the IJ island, better known as Zeeburg, which joined the dike to Schellingwoude. The Schellingwouder bridge was built in 1957 and the road connection to Waterland via the Buiten-IJ east of Amsterdam, was opened.

La région du Waterland compte depuis la fin du siècle dernier une autre presqu'île, l'ex-île de l'IJ, plus connue sous le nom de Zeeburg, qui fut reliée à la digue près de Schellingwoude. En 1957, on a construit le pont Schellingwouderbrug et mis en service une liaison routière avec le Waterland, via le Buiten-IJ, à l'est d'Amsterdam.

Der Gegend Waterland wurde Ende des letzten Jhs eine Halbinsel zugefügt, die frühere IJ-Insel, besser unter dem Namen Zeeburg bekannt, welche an den Deich nahe bei Schellingwoude angeschlossen wurde. 1957 wurde die Schellingwouder-Brücke angelegt und die Strassenverbindung mit Waterland via Buiten-IJ, östlich von Amsterdam in Betrieb gesetzt.

La regione del Waterland conta, dalla fine del secolo scorso, una nuova penisola, l'antica isola dell'IJ, meglio conosciuta sotto il nome di Zeeburg, che fu collegata alla diga nei pressi di Schellingwoude. Nel 1957 è stato costruito il ponte Schellingwouderbrug e un collegamento stradale realizzato con il Waterland, via il Buiten-IJ, all'Est di Amsterdam.

Desde 1990, esta carretera tiene por un lado un túnel (Zeeburgertunnel) y por el otro un nuevo puente sobre la autopista E10 que rodea Amsterdam. Con ello se ampliaron nuevamente los límites de Amsterdam-Norte en el Waterland, aunque parece que ahora son los definitivos.

Seit 1990 ist diese Strasse mit dem Zeeburgertunnel einerseits und anderseits mit einer neuen Brücke auf der Autobahn E 10 rund um Amsterdam versehen. Damit wurden die Grenzen des Wachstums von Amsterdam-Noord im Waterland wieder weiter verschoben, aber sie scheinen jetzt doch endgültig zu sein.

Depuis 1990, cette route est pourvue d'un côté d'un tunnel (Zeeburgertunnel) et de l'autre d'un nouveau pont sur l'autoroute E10 qui contourne Amsterdam. Avec cela, les limites de l'extension d'Amsterdam-Nord dans le Waterland furent une nouvelle fois repoussées, mais il semble qu'elles soient maintenant définitives.

La región de Waterland cuenta desde finales del siglo pasado con otra peninsula, la ex-isla el IJ, mas conocida bajo el nombre de Zeeburg, que se enlazó con el dique cerca de Schellingwoude. En 1957 se construyó el puente Schellingwouderbrug y se inauguró el enlace vial con el Waterland, via el Buiten-IJ, al este de Amsterdam.

Dal 1990, questa strada possiede da un lato una galleria (Zeeburgertunnel) e dall'altro un nuovo ponte sull'autostrada E 10 che contorna Amsterdam. Con queste opere, i limiti dell'estensione di Amsterdam-Nord nel Waterland furono di nuovo respinti, ma sembra che essi siano per il momento definitivi.

In 1990 the peninsula was used on one side for the Zeeburger tunnel and on the other for a new bridge on the E10 motorway around Amsterdam. This stretched North Amsterdam's expanding borders even further, but the growth seems to have halted now.

In 1990 wordt het schiereiland enerzijds gebruikt voor de Zeeburgertunnel en anderzijds voor een nieuwe brug in rijksweg E 10 rond Amsterdam. De grenzen van de groei van Amsterdam-Noord in Waterland werden daar weer wat verder mee opgerekt, maar lijken nu toch wel definitief.

2 | Durgerdam

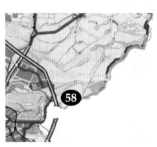

Ook Durgerdam hoort nu officiëel bij de Gemeente Amsterdam. Maar deze uiterste hoek zal nooit een stedelijk karakter krijgen en blijft behouden als landschapspark. Het witte bijna driehonderdjarige kapelletje, annex Raadhuis, zal met zijn robuuste toren een baken voor de watersporters blijven.

Durgerdam officially belongs to the Borough of Amsterdam nowadays, but this remote corner will never have the character of a town, it is preserved as a country park. The white, almost 300 year-old chapel and adjoining town hall, with its sturdy tower, will continue to be a beacon for those enjoying watersports nearby.

La ville de Durgerdam appartient maintenant officiellement à la commune d'Amsterdam. Mais ce coin éloigné n'aura jamais un caractère urbain et on l'entretient comme parc paysager. La petite chapelle âgée de presque trois cents ans, aujourd'hui annexe de l'hôtel de ville, restera toujours, avec sa robuste tour, un repère pour les amateurs de sports nautiques.

Auch Durgerdam gehört nun offiziell zu der Gemeinde Amsterdam. Aber diese äusserst gelegene Ecke soll niemals einen städtlichen Charakter bekommen und bleibt als Landschaftspark bewahrt. Die weisse, beinahe dreihundertjärige kleine Kapelle, heute ein Nebengebäude des Rathauses, soll mit seinem mächtigen Turm eine Bake für die Wassersportler bleiben.

La città di Durgerdam appartiene ora ufficialmente al Comune di Amsterdam. Ma questo angolo isolato non avrà mai un carattere urbano ed è tenuto come un parco paesaggistico. La piccola cappella bianca, vecchia di quasi 300 anni, oggi dipendenza del Municipio, rimarrà sempre, con la sua robusta torre, un punto di riferimento per gli amatori di sport nautici.

En la actualidad, la ciudad de Durgerdam pertenece oficialmente al municipio de Amsterdam. Pero este rincón apartado no tendrá nunca un carácter urbano, conservándose como parque de el paisaje típico. La pequeña capilla blanca de casi trescientos años, hoy anexo del ayuntamiento, sigue siendo, con su torre robusta, un indicador para los practicantes de los deportes acuáticos.

2 | Uitdam

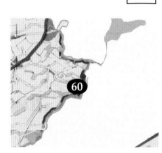

De oude weg langs de kust van de voormalige Zuiderzee voert ons van Durgerdam naar Uitdam, (gem. Broek in Waterland). Een luchtfoto uit 1927 en nu laat zien dat veel hetzelfde gebleven is. De winterimpressie vanuit de lucht is uit 1955. Twee jaar later werd de dijk naar Marken in gebruik genomen.

The old road along the coast of the former Zuider Zee leads us from Durgerdam to Uitdam, borough of Broek in Waterland. Comparing a recent aerial photo and one from 1927 shows that much has remained the same. The winter scene from the air was taken in 1955. The dike to Marken was completed two years later.

La vieille route qui longe la côte de l'ancienne mer intérieure Zuiderzee mène de Durgerdam à Uitdam, de la commune de Broek in Waterland. Des photos aériennes de 1927 et d'aujourd'hui montrent que beaucoup de choses n'ont pas changé. L'image hivernale date de 1955. C'est deux ans plus tard que la digue conduisant à Marken sera mise en service.

Die alte Strasse längs der Küste der ehemaligen Zuiderzee führt uns von Durgerdam nach Uitdam in der Gemeinde Broek in Waterland. Eine Luftaufnahme von 1927 und heute zeigt uns, dass Vieles gleich geblieben ist. Das Winterbild von oben aufgenommen stammt von 1955. Zwei Jahre später wurde die Deich von Marken in Gebrauch genommen.

L'antica strada che fiancheggia la costa del vecchio mare interno Zuiderzee porta da Durgerdam a Uitdam, nel comune di Broek in Waterland. Fotografie aeree del 1927 e di oggi mostrano che le cose non sono molto cambiate. L'immagine invernale è del 1955. Due anni dopo, la diga che porta a Marken sarà messa in servizio.

La vieja carretera a lo largo de la costa del antiguo mar interior Zuiderzee, nos lleva de Durgerdam a Uitdam, que pertenece al municipio de Broek in Waterland. Una vista aérea de 1927 y de hoy, nos muestra que no ha cambiado gran cosa. Una vista invernal que data de 1955. Dos años más tarde se inauguraría el dique en dirección a Marken.

Ook nu de Zuiderzee IJsselmeer geworden is kan het water hier soms opgestuwd worden en over de dijken van Waterland slaan. De dijk naar Marken ligt er al wel, maar het voltooien van de Zuiderzeewerken met de Markerwaard is onzeker. Het Markermeer is voor de recreatie van groot belang.

Even though the Zuider Zee has now become the IJsselmeer, the water can still dam up sometimes and break over the Waterland dikes. The dike to Marken is already there but the completion of the Zuider Zee works with the construction of the Markerwaard is uncertain. The Markermeer is very important as a freshwater reservoir and for recreation.

Aujourd'hui, la Zuiderzee est devenue le lac IJsselmeer. Mais il arrive que la poussée de l'eau soit si forte qu'elle déborde par-dessus la digue de Waterland. Il y a bien sûr la digue vers Marken, mais pour des raisons politiques, la dernière phase des grands travaux (Zuiderzeewerken), le polder Markerwaard, n'est pas encore certaine. Le Markermeer est un lac d'une grande importance tant comme réservoir d'eau douce que comme base de plaisance.

Heute ist die Zuiderzee das IJsselmeer geworden, aber es kommt vor, dass das aufgestaute Wasser die Deiche von Waterland überschwemmt. Hier liegt wohl der Deich von Marken, aber das Vollenden der Zuiderzee-Arbeiten mit der Markerwaard ist unsicher. Das Markermeer ist als Süsswasser-Speicher und für den Wassersport von grosser Bedeutung.

Oggi, il Zuiderzee è diventato il lago IJsselmeer. Ma succede che la spinta dell'acqua sia cosí forte da farla traboccare al di sopra della diga di Waterland. Certo, esiste la diga verso Marken ma, per ragioni politiche, l'ultima fase dei grandi lavori (Zuiderzeewerken), quella del polder Markerwaard, non è ancora sicura. Il Markenmeer è un lago di grande importanza, sia come riserva d'acqua dolce che come base da diporto.

Actualmente, el Zuiderzee se ha transformado en el lago IJsselmeer. Pero a veces ocurre que el agua sube tanto que el agua desborda por encima de los diques de Waterland. Evidentemente está el dique hacia Marken, pero la terminación de la última fase de las obras del Zuiderzee con el polder Markerwaard sigue siendo dudosa por razones políticas. El lago Markermeer tiene gran importancia como depósito de agua dulce y como lugar de recreo.

2 | Gouwzee

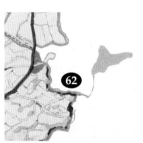

Achter de dijk naar Marken ligt de Gouwzee, een eldorado voor de watersporters, die overigens ook bij de oorspronkelijke plannen voor de Markerwaard gehandhaafd zou zijn. Langs de Gouwzee zijn de havens van de oude Zuiderzeestadjes steeds meer ter beschikking gekomen van de pleziervaart.

The Gouwzee is behind the dike to Marken, a haven for watersport fans who had, incidentally, also been taken into consideration in the original plans for the Marker-waard. The Zuider Zee town harbours along the Gouwzee have gradually become more geared towards pleasure boats.

L'étang Gouwzee est situé derrière la digue de Marken. C'est un eldorado pour les amateurs de sports nautiques, et il serait d'ailleurs conservé même avec les projets initiaux du Markerwaard. Le long du Gouwzee, les ports des anciennes villes de la Zuiderzee tendent à devenir des ports de plaisance.

Hinter dem Deich von Marken liegt der Gouwzee, ein Eldorado für Wassersportler, das auch bei den ursprünglichen Plänen für die Markerwaard aufrechterhalten werden sollte. Längs des Gouw-zees befinden sich die Hafen der alten Zuiderzeestädtchen, die mehr und mehr den Vergnü-gungsjachten zur Verfügung stehen.

Lo stagno Gouwzee è situato dietro la diga di Marken. E' un Eldorado per gli amatori di sport nautici e sarebbe comunque con-servato anche con i progetti ini-ziali del Markerwaard. Lungo il Gouwzee, i porti delle antiche città della Zuiderzee tendono a di-ventare porti da diporto.

El lago Gouwzee situado detrás del dique de Marken, es un 'eldo-rado', para los practicantes de los deportes acuáticos, que se conser-varía incluso si se llevara a cabo el proyecto del Markerwaard. Los puertos de las antiguas ciudades del Zuiderzee a lo largo del Gouwzee se han ido transfor-mando en puertos para la navega-ción de ocio.

2 | Dijk naar Marken

Een overzicht van de nieuwe dijk naar Marken uit 1959. De dijk was in 1957 in gebruik genomen en de vele toeristen naar het eiland konden vanaf die datum met de bus vervoerd worden. De aanvankelijke vrees dat het eiland door een te massale toeloop ook zijn karakter zou verliezen kwam gelukkig niet uit.

An overview of the still new dike to Marken in 1959. The dike was opened in 1957 and from that time the many tourists could be driven to the island by bus. The initial fear that the island's character would be spoiled by the stampede of visitors was luckily unfounded.

Vue de la digue encore neuve de Marken en 1959. La digue a été mise en service en 1957 et c'est à partir de cette date que de nombreux touristes ont pu être transportés dans l'île en car. Mais heureusement, la crainte que l'île ne perde son caractère typique en raison de l'énorme afflux de touristes n'est pas devenue une réalité.

Ein Bild von dem Deich von Marken von 1959. Der Deich wurde 1957 in Gebrauch genommen und die vielen Touristen konnten von der Zeit an mit dem Bus auf die Insel gefahren werden. Die anfängliche Befürchtung, dass die Insel durch einen massiven touristische Zulauf seinen Charakter verlieren könnte, erwies sich glücklicherweise als unbegründet.

Vista della diga ancora nuova di Marken, nel 1959. La diga è stata messa in servizio nel 1957 ed è a partire da questa data che numerosi turisti hanno potuto essere trasportati sull'isola in pullman. Fortunatamente, il timore che l'isola perdesse il suo carattere tipico a causa dell'enorme afflusso turistico, non è diventato realtà.

Una vista del todavía nuevo dique hacia Marken. Se puso en servicio en el año 1959 y los muchos turistas que visitan la isla han podido ser transportados en autobús a partir de esta fecha. El temor inicial a que debido a la afluencia masiva de túristas la isla perdiera su carácter típico, afortunadamente no se ha convertido en realidad.

Parels rond de Gouwzee   Perlen rund um den Gouwzee

Treasures around the Gouwzee   Delle perle attorno al Gouwzee

Des perles autour du Gouwzee   Las perlas en torno al Gouwzee

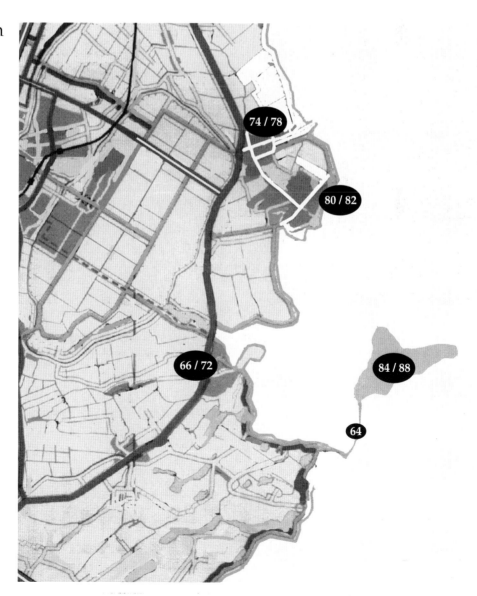

In de zeventiende eeuw heeft de bebouwing van Monnickendam de vorm van een rog. De staart wordt gevormd door het Noordeinde, met aan de zeekant de Haring- en aan de andere kant de Oude Zijdsburgwal. Een brede gracht, een stevige muur, vijf volwassen en enkele rudimentaire bastions beschermen de stad.

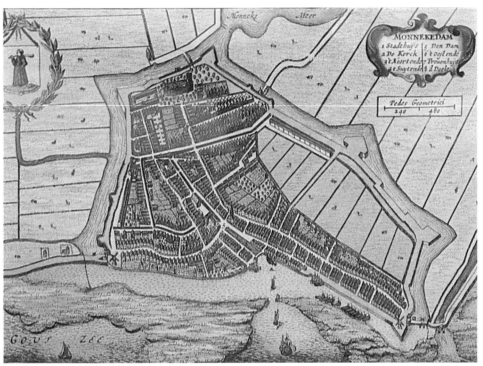

Monnickendam's development in the 17th century took the form of a ray. The tail was formed by the Noordeinde with the Haring rampart on the seaward side and the Oude Zijds rampart on the other. A wide canal, a sturdy wall, five complete and a couple of rudimentary bastions protected the town.

Au dix-septième siècle, le plan d'ensemble des maisons de Monnickendam a la forme d'une raie. La queue en est formée par le Noordeinde, avec côté mer le Haringwal et de l'autre côté le Oude Zijdsburgwal. Un large canal, des murs solides, cinq bastions principaux et quelques autres rudimentaires protègent la ville.

Im XVII Jahrhundert hatte die Bebauung von Monnickendam die Form eines Rochens. Der Schwanz wurde durch das Noordeinde geformt, mit Haringwal an der Meerseite und Oude Zijdsburgwal an der anderen Seite. Ein breiter Kanal, ein dicke Mauer und fünf ausgebaute und einige rudimentäre Bastione beschützen die Stadt.

Nel Diciassettesimo secolo, la planimetria d'insieme delle case di Monnickendam presenta la forma di una razza. La coda è rappresentata dal Noordeinde con, dalla parte del mare, l'Haringwal e dell'altra l'Oude Zijdsburgwal. Un largo canale, mura solide, cinque bastioni principali ed altri più rudimentali proteggono la città.

En el siglo XVII la construcción de las casas de Monnickendam tenía la forma de un pez raya. La cola está formada por Noordeinde, con, al costado del mar, el Haring y al otro lado el Oude Zijdsburgwal. Un ancho canal, una resistente muralla, cinco grandes fortificacionesy un par de torres de defensa mas pequeñas protegen la ciudad.

Desde el mar, la ciudad tiene poco que temer, ya que aquí lenguas de tierra forman una defensa natural. Barcos mercantiles y pesqueros transportan su carga por la estrecha embocadura del puerto. Tal como puede observarse en la vista aérea, el plan de calles y canales apenas ha cambiado desde 1650.

Dalla parte del mare, la città ha poco da temere, le lingue di terra formano una difesa naturale. Velieri, navi commerciali e pescherecci partono e tornano con i loro carichi attraverso la stretta apertura del porto. Dal 1650, la planimetria delle strade e dei canali non è molto cambiata, come si può vedere su una recente fotografia aerea.

Von der Seesiete her hat die Stadt wenig zu fürchten. Landzungen formen hier eine natürliche Abwehr. Handels- und Fischerschife kommen und gehen durch die enge Hafenmündung. Seit 1650 hat sich der Strassen- und Kanäleplan der Stadt kaum verändert, wie wir es auf dem Luftfoto aus der heutigen Zeit deutlich sehen können.

Du côté de la mer, la ville n'a pas grand-chose à craindre, des langues de terre formant une défense naturelle. Des voiliers et des bateaux de commerce et de pêche vont et viennent avec leurs chargements à travers l'étroite ouverture du port. Depuis 1650, le plan des rues et des canaux n'a guère changé, ainsi qu'on peut le voir sur une photo aérienne récente.

The town has little to fear from the seaward side, tongues of land form a natural defence. Merchant and fishing ships sail their loads through the narrow harbour mouth into port. The street and canal pattern has barely altered since 1650, as a recent aerial photo clearly shows.

Vanaf zee heeft de stad weinig te vrezen, landtongen vormen er een natuurlijke afweer. Koopvaardij- en vissersschepen zeilen door de nauwe havenmond hun lading binnengaats. Sinds 1650 is het straten- en grachten patroon nauwelijks veranderd, zoals een luchtfoto uit 1928 duidelijk laat zien.

3 | Haven, Raadhuis

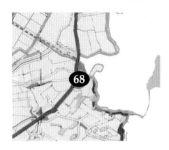

De haven, het oude waaggebouw, de speel-toren, het raadhuis en omvangrijke scheeps-werven beheersen het hart van Monnicken-dam. De oude stadshaven wordt aan de kant van het IJsselmeer begrensd door de witte Langebrug en aan de stadszijde door de met een ster gesierde overkluizing van de sluis.

Monnickendam's core is domi-nated by the harbour, the old weighing house, the speel tower, the town hall and extensive shipyards. The old town harbour is bordered by the white Lange bridge on the IJsselmeer side and the sluice decorated with a star on the town side.

Le port, l'ancien bâtiment du Poids Public, la tour Speeltoren, l'hôtel de ville et enfin d'énormes chantiers navals dominent le coeur de la ville de Monnickendam. Le vieux port de la ville est bordé du côté de l'IJsselmeer par le pont blanc de Langebrug et du côté de la ville par la passerelle décorée d'une étoile de l'écluse.

Der Hafen, die alte Stadtwaage, der Turm Speeltoren, das Rathaus und die riesigen Schiffswerften beherrschen das Herz von Mon-nickendam. Der alte Stadthafen wird an der Seite des IJsselmeers durch die weisse Brücke Lange-brug und an der Stadtseite durch den mit einem Stern geschmück-tern Steg der Schleuse begrenzt.

Il porto, l'antico edificio della Bi-lancia Pubblica, la torre Speelto-ren, il Municipio e infine enormi cantieri navali dominano il cuore della città di Monnickendam. Il vecchio porto della città è delimi-tato, dalla parte dell'IJsselmeer, dal ponte bianco di Langebrug e, dalla parte della città, dalla passe-rella della chiusa ornata da una stella.

El puerto, el viejo edificio de la Pesa Pública, la torre Speeltoren, el ayuntamiento y finalmente los grandes astilleros, dominan el co-razón de la ciudad de Monnicken-dam. El viejo puerto de la ciudad está limitado al lado del lago IJs-selmeer por el puente blanco de Langebrug y al lado de la ciudad por una pasarela de la esclusa de-corada con una estrella.

El edificio con el tejado a dos ver-tientes, en primer plano, es el ayun-tamiento. En 1895 se estableció aquí De Vergulde Eenhoorn (el unicor-nio dorado). Durante medio siglo este albergue ha acogido a co-merciantes, marineros y otros pa-santes. Más tarde fue reconstruido en vivienda para uno de los nota-bles de la ciudad. En 1814 fue acon-dicionado como ayuntamiento.

L'edificio con un doppio tetto a punta, in primo piano, è il Munici-pio. Nel 1695, ospitava De Ver-gulde Eenhorn (l'Unicorno Do-rato). Durante mezzo secolo, quest'albergo ha accolto commerci-anti, marinai ed altra gente di pas-saggio. E' stato ricostruito più tardi come casa d'abitazione da un nota-bile della città., poi ristrutturato nel 1814 per servire da Municipio.

Das Gebäude mit dem doppelten Spitzdach im Vordergrund ist das Rathaus. 1695 wurde hier De Ver-gulde Eenhoorn untergebracht. Ein halbes Jahrhundert lang bot es als Wirtshaus den Händlern und See-leuten und anderem fahrenden Volk Unterkunft. Danach wurde es zur Wohnungs für einen Notabeln des Stadtes umbebaut. 1814 wurde das Gebäude als Rathaus eingerichtet.

Le bâtiment avec un double toit pointu, au premier plan, est l'hôtel de ville. En 1695, il abritait De Vergulde Eenhoorn (La Licorne Dorée). Pendant un demi-siècle, cette auberge a accueilli les commerçants, marins et autres passants. Elle a été reconstruite plus tard comme maison d'habitation par un notable de la ville, puis aménagée en 1814 en hôtel de ville.

Het pand met het dubbele puntdak is het raadhuis. In 1695 werd daar De Vergulde Eenhoorn in gevestigd. Een halve eeuw lang bood die onderdak aan koop- en zeelieden en ander rondtrekkend volk. Daarna werd zij verbouwd tot woning voor een van de stads-notabelen. In 1814 werd het pandraadhuis.

The building with the double pointed roof in the foreground is the town hall. The Gilded Unicorn was located there in 1695. It provided board for half a century to merchants, sailors and other travellers. Later it was rebuilt as a house for one of the town noblemen. The building was established as the town hall in 1814.

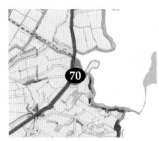

De Waag werd rond 1600 aan een hoek van de haven opgetrokken. Zestig jaar later was er genoeg geld in kas om het gebouw met pilastergevels te verfraaien. Toen met de bouw van de Waag begon, beheerste de slanke speeltoren al een eeuw of langer het vooral vanaf de Gouwzee boeiende stadssilhouet.

The Weighing House was moved to a corner of the harbour in 1600. There was enough money sixty years later to give the building a face-lift with pilaster gables. When the building of the Weighing House began, the captivating town silhouette had been dominated by the slim speel tower for more than a century, especially the view from the Gouwzee.

Le Poids Public fut érigé vers 1600 au coin du port. Au bout de 60 ans, il y eut assez d'argent en caisse pour décorer le bâtiment avec des façades de pilastres. Lorsqu'on commença à le construire, la svelte tour Speeltoren dominait déjà depuis un siècle ou plus la silhouette de la ville, qui présente son aspect le plus intéressant vue du côté du Gouwzee.

Die Waage wurde um 1600 an einer Ecke des Hafens aufgestellt. Sechzig Jahre später war genug Geld in der Kasse, um das Gebäude mit einer Pilaster-Fassade zu schmücken. Als mit dem Bau der Stadtwaage begonnen wurde, beherrschte der schlanke Turm Speeltoren schon ein Jahrhundert oder länger das besonders vom Gouwzee aus faszinierende Stadtbild.

L'edificio della Bilancia Pubblica fu eretto nel 1600 all'angolo del porto. 60 anni dopo, gli introiti erano già sufficienti da permettere la decorazione delle sue facciate con delle colonnine. Quando incominciò la sua costruzione, la svelta torre Speeltoren dominava già da un secolo o più la città, che offre il suo aspetto più interessante vista dal lato del Gouwzee.

La casa de Pesas fue edificada en torno al 1600 en un rincón del puerto. Sesenta años más tarde se dispuso de suficiente dinero para embellecer el edificio con fachadas de pilastras. Cuando se inició su construcción, la esbelta torre Speeltoren ya dominaba desde hacia más de un siglo la silueta de la ciudad, que ofrece su aspecto más atractivo desde el lado del Gouwzee.

3 | Doelen Hotel

Het vroegere Doelen Hotel, aan de Zarken, dat in 1743 nabij de St.-Nicolaaskerk werd gebouwd moet een fikse concurrent geweest zijn voor de herberg De Vergulde Eenhoorn, want die sloot in 1746 voor goed haar deuren. het Doelen Hotel werd in 1938 ingekort en verlaagd.

The former Doelen Hotel on the Zarken, built in 1743 next to the St. Nicolaas Church, must have been steep competition for The Gilded Unicorn inn because it closed up in 1746. The Doelen Hotel was shortened and lowered in 1938.

L'ancien hôtel Doelen Hotel, sur le Zarken, fut construit en 1743 à côté de l'église Saint-Nicolas. Il a dû être un sérieux concurrent pour l'auberge De Vergulde Eenhoorn, car celle-ci a fermé définitivement ses portes en 1746. Le Doelen Hotel a été raccourci et rabaissé en 1938.

Das frühere Doelen Hotel an der Zarken wurde 1743 neben der Sankt Nicolas Kirche gebaut. Es muss ein ernsthafter Konkurrent für die Herberge De Vergulde Eenhoorn gewesen sein, denn sie schloss endgültig ihre Türen im Jahre 1746. Das Doelen Hotel wurde 1938 kürzer und niedriger umgebaut.

L'antico albergo Doelen, sullo Zarken, fu edificato nel 1743, accanto alla chiesa di San Nicola. Fu certamente un serio concorrente per l'albergo De Vergulde Eenhoorn, visto che questo chiuse definitivamente le sue porte nel 1746. Il Doelen Hotel è stato riabbassato nel 1938.

El anterior Hotel Doelen, sobre el Zarken, que se construyó próximo a la iglesia St. Nicolas en 1743. Debe haber sido un fuerte competidor del albergue De Vergulde Eenhoorn, puesto que éste último cerró sus puertas definitivamente en 1746. En 1938 el Doelen Hotel fue reducido y rebajado.

3 | Edam

Als een rode edelsteen pronkt Edam te midden van kaarsrecht doorsneden polderland. Halverwege de 17de eeuw is de stadsmuur nog geheel intact. Vijftig jaar later wordt die vervangen door wallen, die nog steeds de stad omringen. Edam dankt de welvaart aan de koopvaart, de land- en de scheepsbouw.

Edam sparkles like a red gemstone in the middle of dead straight divided polder land. Halfway through the 17th century, the town wall is still completely intact. Fifty years later it was replaced by ramparts which still surround the town. Edam's prosperity is due to merchant shipping, agriculture and shipbuilding.

La ville d'Edam ressemble à une pierre précieuse rouge au milieu d'une région de polders coupée de canaux en rectangle. Au milieu du dix-septième siècle, ses murs sont encore intacts. Cinquante ans plus tard, on les a remplacés par des remparts qui entourent toujours la ville. Edam a connu une grande prospérité grâce à son agriculture et à son commerce et ses chantiers navals.

Wie ein roter Edelstein prunkt Edam inmitten von kerzengerade durchscnittenem Polderland. In der Mitte des siebzehnten Jahrhunderts sind die Stadtmauern noch volkommen intakt. Fünfzig Jahre später wurden sie durch Wälle ersetzt, die heute noch die Stadt umringen. Edam dankt seinen Wohlstand dem Handel, der Landwirtschaft und dem Schiffsbau.

La città di Edam assomiglia ad una pietra preziosa di colore rosso nel mezzo di una regione di polders tagliata da canali disposti in rettangolo. Alla metà del diciassettesimo secolo, le sue mura sono ancora intatte. Cinquant'anni dopo, furono sostituite dalle muraglie che circondano ancora la città. Edam conobbe una grande prosperità grazie alla sua agricoltura, al suo commercio e ai suoi cantieri navali.

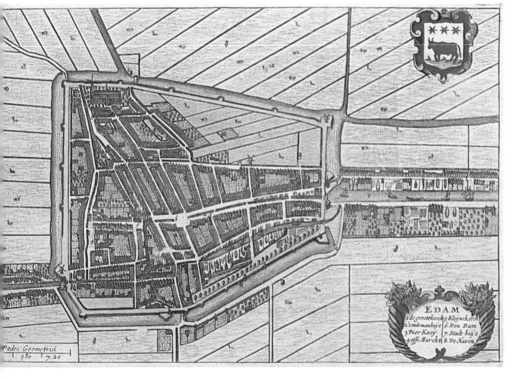

Durch eine offene und zollfreie Verbindung mit dem Zuiderzee brachten die Schiffe die Waren heran. In mehr als 30 Werften wurden Fregatten und grosse Segelschiffe für die Indische Kompagnies gebaut. Leeghwaters Trockenlegungen und das dadurch gewonnene Weideland verschafften der Stadt ein neues goldenes Handelsprodukt, den Edamer Käse.

Los barcos entraron sus mercancías vía una comunicación abierta, libre de peaje, con el Zuiderzee. En más de treinta astilleros se construyen fragatas y grandes veleros para las Compañías de las Indias. La desecación y su posterior transformación en prados ha permitido a la ciudad fabricar y comercializar un nuevo producto totalmente redondo: el queso Edam.

Les bateaux arrivaient avec leurs marchandises via une liaison ouverte et sans péage avec le Zuiderzee. Plus de trente chantiers navals construisirent des frégates et de grands voiliers pour la Compagnie des Indes. L'assèchement de Leeghwater et sa transformation en prairies a permis à la ville de fabriquer et vendre un nouveau produit, tout doré : le fromage d'Edam.

Le navi arrivavano con le loro merci tramite un collegamento aperto, senza pedaggio, con il Zuiderzee. Più di trenta cantieri navali costruirono fregate e grandi velieri per la Compagnia delle Indie. Il prosciugamento e la sua trasformazione in pascoli ha permesso alla città di fabbricare e di vendere un nuovo prodotto, tutto dorato: il formaggio di Edam.

Ships convey their merchandise on the open, as yet toll-free connection to the Zuider Zee. Around thirty shipyards built frigates and flutes for the Indonesian companies. Leeghwater's polders have provided the town with a new and rich trading product: Edam cheese.

Edam brilla como si fuese una gema roja en medio de una zona de polders, cortada por canales en forma rectangular. A mediados del siglo XVII las fortificaciones de la ciudad siguen todavía intacta. Cincuenta años más tarde, son sustituidas por murallas que circundan la ciudad hasta nuestros días. Edam debe su prosperidad a la navegación mercantil, la agricultura y la construcción naval.

Via een open en ook nog tolvrije verbinding met de Zuiderzee voeren schepen de koopwaar aan. Op ruim dertig werven worden fregatten en fluiten voor de Indische compagnieën gebouwd. Leeghwaters droogmakerijen bezorgen de stad een nieuw en gouden handelsprodukt: de Edammer kaas.

3 | Grote Kerk

De Grote of St.-Nicolaaskerk: Met haar drie
even hoge en brede en bijna even lange
beuken en haar sobere toren beheerst zij sinds
begin 1600 het noordelijke stadsdeel.
Anderhalve eeuw daarvoor stond op deze
plek al een godshuis, maar dat werd door
blikseminslag in de toren geheel verwoest.

Grote Kerk (1954)

Speeltoren (1954)

The Great or St. Nicolaas church:
with its three equally high and
wide and almost equally long
aisles and its austere tower, it has
dominated the northern part of
town since the beginning of 1600.
One and a half centuries pre-
viously a church had stood on the
same spot but was completely
destroyed when the tower was
struck by lightening.

De Grote Kerk (église Saint-Nicolas) : avec sa tour sobre et ses trois nefs presque identiques en hauteur, largeur et longueur, elle domine depuis le début de l'an 1600 le nord de la ville. Un demi-siècle plus tôt, il y avait au même endroit une Maison de Dieu, que la foudre, tombant sur la tour, détruisit complètement.

Die Grote Kerk (St.-Nicolaaskerk), mit ihrem schlichten Turm und ihren drei ebenso hohen wie breiten und beinahe ebenso langen Schiffen beherrscht seit dem Beginn des Jahres 1600 den nördlichen Stadtteil. Ein halbes Jahrhundert vorher stand an derselben Stelle schon ein Gotteshaus, welches durch einen Blitzeinschlag in den Turm vollkommen zerstört wurde.

De Grote Kerk (Chiesa di San Nicola): con la sua torre sobria e le sue tre navate quasi identiche in altezza, larghezza e lunghezza, domina dall'inizio del 1600 il Nord della città. Mezzo secolo prima, si trovava sullo stesso posto una Casa di Dio che il fulmine, cadendo sulla torre, distrusse completamente.

De Grote Kerk (la iglesia St. Nicolás): con su sobria torre y tres naves de altura, ancho y longitud casi idénticas, preside desde principios del año 1600 el Norte de la ciudad. Medio siglo antes existía en el mismo lugar una Casa de Dios, que fue destruida por completo por un relámpago que cayó sobre la torre.

3 | Speeltoren

Edam dankt zijn charme voor een flink deel aan de slanke speeltoren en de klassieke ophaalburggen. Een van de bekoorlijkste exemplaren daarvan is de Kwakelbrug. Met de gedeeltelijk houten huisjes aan de Kwakelsteeg en de scheve carillontoren in haar verlengde vormt deze eenpriemer de trots van Edam.

Much of Edam's charm can be attributed to the slim speel tower and the classic lift bridges. One of the best examples is the Kwakel bridge. It is the Edammers' pride with its partly wooden houses along the Kwakel lane and the leaning bell tower.

Le charme principal de la ville d'Edam tient à sa svelte tour Speeltoren et à ses classiques ponts basculants, dont le plus bel exemplaire est le Kwakelbrug. Avec les maisons partiellement en bois de la rue Kwakelsteeg et la tour penchée à carillon située au bout de cette rue, ce pont à voie unique est la fierté des habitants d'Edam.

Edam verdankt seinen Charme zum grossen Teil dem schlanken Turm Speeltoren und den klassischen Zugbrücken. Eines der anmutigsten Exemplare ist die Kwakelbrug. Mit den zum Teil aus Holz gebauten Häusern der Strasse Kwakelsteeg und dem schiefen Glockenspiel-Turm der sich am Ende der Strasse befindet, bildet diese Einbahn-Brücke den Stolz der Einwohner von Edam.

Il fascino principale della città di Edam tiene alla sua svelta torre Speeltoren e ai suoi tipici ponti a bilico, il cui più bell'esemplare è il Kwakelburg. Con le case parzialmente di legno della via Kwakelsteeg e la torre pendente col carillon situata in fondo alla strada, questo ponte a una sola corsia è l'orgoglio degli abitanti di Edam.

El encanto básico de la ciudad de Edam reside mayoritariamente en su esbelta torre Speeltoren y en sus pintorescos puentes basculantes, cuyo ejemplo más bello es el puente Kwakelbrug. Con sus casas parcialmente de madera en la calle Kwakelsteeg y con la torre inclinada del campanario situada al final de esta estrecha calle, este puente de sentido único es el orgullo de los habitantes de Edam.

Naar links heeft men uitzicht op de Scheepmakersdijk met aan de waterkant twee thee-
koepels die aan de Vecht niet zouden mis-
staan. Naar rechts heeft men uitzicht op de
nog enige Edammer scheepswerf. Die ligt aan
het Boerenverdriet, dat door zijn smalte
boeren nogal eens problemen bezorgde.

To the left the view is of the
Scheepmakers dike with two
domes on the water side which
would not be out of place on the
Vecht. To the right we see Edam's
sole remaining shipyard. It stands
on the Boerenverdriet whose
narrowness caused farmers
problems occasionally.

Sur la gauche, la vue donne sur la
digue Scheepmakersdijk avec, au
bord de l'eau, deux pavillons de
thé qui auraient pu être situés au
bord de la rivière Vecht, où on en
compte beaucoup. Sur la droite,
elle donne sur l'unique chantier
naval qui fonctionne encore à
Edam. Celui-ci se trouve à côté du
canal Boerenverdriet, dont l'étroi-
tesse cause beaucoup de problè-
mes aux paysans, chaque mise à
l'eau de bateau le faisant déborder.

Links hat man eine Aussicht auf
den Scheepmakersdijk mit zwei
Tee-Pavillons am Ufer, wie sie
auch längs des Flusses Vecht zu
finden sind. Auf der rechten Seite
sieht man die einzige Edammer
Schiffswerft, die noch funktio-
niert. Sie befindet sich am Kanal
Boerenverdriet (Bauernkummer),
der wegen seiner Schmalheit den
Bauern öfter Probleme machte.

A sinistra, panorama sulla diga
Scheepmakersdijk con, sulla riva,
due padiglioni da tè, che avreb-
bero potuto essere situati in riva al
fiume Vecht, dove se ne contano
già molti. A destra, l'unico cantiere navale ancora in funzione ad
Edam. Questo si trova accanto al
canale Boerenverdriet ("pena dei
contadini"), la cui strettezza causa
molti problemi ai contadini
perché ogni immersione di nave
lo fa traboccare.

A la izquierda la vista da sobre el
dique Scheepmakersdijk, con al
lado del agua dos pabellones de
té, que no quedarían desplazados
a orillas del río Vecht, por haber
muchos allá. A la derecha se ve el
único astillero que sigue funcio-
nando hasta nuestros días en
Edam. Está ubicado a orillas del
canal Boerenverdriet, que debido
a su estrechez ha sido la pesa-
dumbre de los payeses en cada
botadura.

3 | Volendam

Zwaaien en zwieren in de haven van Volendam – welke schaatser zou zich een aardiger omgeving wensen?
Weinig toeristen kennen Nederlands bekendste vissersdorp in deze gedaante.
's Zomers drommen ze bij duizenden door de smalle straten en langs de haven.

Swaying and gliding in the harbour of Volendam – which skater could wish for better surroundings. Few tourists know Holland's most famous fishing village in this guise. In the summer they throng through the narrow streets and along the harbour in their thousands.

Faire un tour sur les pistes de glace de Volendam, quoi de plus agréable pour des patineurs ? Or peu de touristes connaissent le village sous cet aspect hivernal, alors que pendant l'été ils s'entassent par milliers dans les étroites ruelles et le long du port.

Schwingen und gleiten im Hafen von Volendam – welcher Schlittschuhläufer kann sich eine hübschere Umgebung wünschen? Wenige Touristen kennen das bekannteste Fischerdorf der Niederlande unter dieser Sicht. Im Sommer drängen sie sich zu Tausenden durch die schmalen Strassen und längs des Hafens.

Che cosa è più gradevole per i pattinatori che fare un giro sulle piste di ghiaccio di Volendam? Eppure pochi turisti conoscono il villaggio sotto quest'aspetto invernale, mentre durante l'estate si affollano a migliaia nelle strette viuzze e lungo il porto.

Deslizarse patinando en el puerto de Volendam – ¿Qué más puede de desearse un patinador? – Pocos turistas conocen el pueblo pesquero más famoso de los Países Bajos bajo este aspecto invernal, mientras que en verano se amontonan por miles en sus estrechas calles y a lo largo del puerto.

3 | Volendam

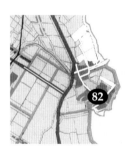

Wat een talent ligt er gebundeld in Volendam! Waar wordt deskundiger het folkloristisch toerisme geëxploiteerd? Waar zijn de palingen vetter? Waar bloeien de popgroepen weliger per vierkante meter? Dit zijn dan nog maar de meest in het oog lopende troeven. Let ook eens op de gordijnen voor de ramen.

What an abundance of talent in Volendam! Where is folkloric tourism exploited more expertly? Where are the eels fatter? Where do more pop groups spring up per square meter? These are just the town's more obvious trump cards. Take a look at the curtains at the windows.

Que de talents sont réunis à Volendam ! Où trouve-t-on une exploitation plus professionnelle du tourisme folklorique? Où les anguilles sont-elles plus grasses? Où y-a-t-il plus de groupes de rock au mètre-carré? Et on ne parle là que des atouts les plus importants.

Was für ein Talent liegt hier in Volendam gebündelt. Wo wird der volkstümliche Tourismus sachverständiger ausgebeutet? Wo sind die Aale fetter? Wo gibt es mehr Pop-Gruppen pro Quadratmeter? Dies sind nur am meisten ins Auge fallende Trümpfe. Aber man muss sich auch die Gardinen an den Fenstern ansehen.

Quanti talenti sono riuniti a Volendam! Dove si riscontra uno sfruttamento più professionale del tu-rismo folcloristico? Dove sono più grasse le anguille? Dove ci sono più gruppi di rock al metro quadrato? E qui si parla soltanto delle carte vincenti più importanti.

¡Cuantos talentos se reúnen en Volendam! ¿Dónde se explota el turismo folklórico de manera más profesional? ¿Dónde se encuentran las anguilas más grandes? ¿Dónde hay más grupos de música pop por metro cuadrado? Estos son únicamente algunos de los logros más importantes. Pero fíjense en las cortinas de las ventanas.

Grandes y decoradas, nos muestran el arte de dejar pasmado al vecino por su extravagancia y esplendor. Además, sus habitantes de fuerte constitución, no se muestran nunca demasiado cansados para arremangarse las camisas y poner manos a la obra. Gustan de los placeres duros. Cuando las temperaturas indican valores bajo cero, cogen sus patines para hacer una excursión sobre el Gouwzee a Marken.

Guardate le tende alle finestre: immense e decorate, mostrano l'arte di sbalordire i vicini per la smisuratezza e lo splendore! Indipendentemente da ciò, la popolazione, robusta, non è mai troppo stanca per lavorare e rimanere attiva. Apprezza i piaceri rudi. E finché continua a gelare, la gente prende i suoi pattini da ghiaccio e va a passeggiare sul Gouwzee, verso Marken.

Übermässig gross und verziert zeigen sie die Kunst, dem Nachbarn mit seinem Reichtum zu imponieren. Aber sonst ist die Bevölkerung stark und immer bereit die Aermel hochzukrempeln. Sie liebt einfache Vergnügen. Solange es friert, nehmen die Leute ihre Schlittschuhe und fahren auf dem Gouwzee in Richtung Marken.

Mais regardez les voilages aux fenêtres : immenses et décorés, ils montrent l'art d'épater les voisins en démesure et en splendeur. Et en dehors de ça, la population, robuste, n'est jamais trop fatiguée pour travailler et rester active. Elle aime les plaisirs rudes. Et tant qu'il continue à geler, les gens prennent leurs patins à glace et vont se promener sur le Gouwzee, vers Marken.

De vitrage toont namelijk het talent om de buurman de ogen uit te steken, door overdaad en overmaat. Maar verder is het stoer volk, niet te beroerd om de handen uit de mouwen te steken, dat houdt van stoer vermaak. En als het flink blijft doorvriezen dan schaatsen ze de Gouwzee op voor een tocht naar Marken.

The curtains demonstrate the inhabitants' talent for getting one step ahead of the neighbour through excess and extravagance. Otherwise they are a tough people, always willing to put their noses to the grindstone and enjoying tough pastimes. If the freezing weather perseveres, they skate up the Gouwzee to Marken.

3 | Marken

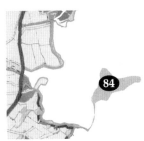

Is Marken misschien toeristischer? De uiterlijke kenmerken zijn zichbaar in kleding en huizen. Ze zijn intact gebleven, misschien omdat Marken zolang een eiland was. Streng protestantisme wordt hier gecombineerd met koopmansgeest. Eigenlijk netzo als bij de katholieken van Volendam.

Is Marken more touristy? The external features are visible in clothing and houses. They have remained intact, perhaps because Marken was an island for so long. Strict Protestantism combines with commercial sense here. Similar to the Catholics in Volendam in fact.

Marken est peut-être encore plus touristique. Ses caractéristiques externes sont visibles sur les vêtements et les maisons. Elles sont restées intactes, peut-être parce que Marken est restée si longtemps une île. Un protestantisme sévère reste ici combiné avec le sens du commerce. Mais c'est la même chose pour les catholiques de Volendam.

Ist Marken vielleicht noch touristischer? Die äusserlichen Merkmale sind in den Häusern und der Kleidung sichtbar. Sie sind intakt geblieben, vielleicht weil Marken solange eine Insel war. Strenger Protestantismus wird hier mit ausgeprägtem Sinn für den Handel verbunden. Eigentlich genau wie bei den Katholiken von Volendam.

Marken è forse ancora più turistica. Le sue caratteristiche esterne sono visibili sugli abiti e sulle case. Esse sono ancora intatte, forse perchè Marken è rimasta per molto tempo un'isola. Un protestantesimo severo si combina qui con il senso del commercio. Ma è la stessa cosa per i cattolilci di Volendam.

¿Es posible que Marken todavía resulte más turístico? Las características externas destacan a primera vista por su indumentaria y sus casas. Estas han quedado intactas, quizás debido a que Marken se ha conservado durante mucho tiempo como isla. Aquí se combina un estricto protestantismo con el sentido del comercio. De hecho igual como con los católicos de Volendam.

3 | Marken

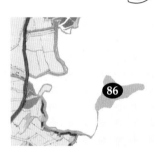

Respectievelijk de Havenbuurt in 1922 en de Kerkbuurt in 1927, en twee overzichten nu. Alle toeristen zijn te vinden in de Havenbuurt en de Kerkbuurt. Tegen betaling kan men bij de huisjes naar binnen kijken en wie wil dat niet. Kinderen worden in originele Marker kledij gehesen en gefotografeerd.

There are more areas though, knots of houses on a knoll. You see them as you walk down the dike around Marken, nine kilometres and one of the nicest walks you can take in Holland. Marken has not been a fishing village for some time, most inhabitants commute to jobs off the island.

Marken, the Harbour district in 1922 and the Church district in 1927 respectively, and two modern views. All tourists can be found in the Harbour or Church districts. You can pay to take a look inside the houses and who wouldn't want to. Children dressed in original Marker costume are much photographed.

Marken, les quartiers de Havenbuurt (Quartier du Port) et 1922 et de Kerkbuurt (Quartier d l'Eglise) en 1927, et deux photos aériennes d'aujourd'hui. C'est dans ces deux quartiers qu'on trouve tous les touristes. En payant, on peut visiter l'intérieur des petites maisons; et qui n'aurait pas envie de la faire? On habille les enfants des touristes avec les costumes originaux de Marken et on les prend en photo.

Marken, die Havenbuurt (Hafen-viertel) im Jahre 1922 und die Kerkbuurt (Kirchenviertel) im Jahre 1927 und zwei Luftauf-nahmen von heute. In diesen beiden Stadtvierteln findet man alle Touristen. Gegen Bezahlung kann man das Innere der kleinen Häuser besichtigen und wer möchte das nicht. Die Kinder der Touristen werden mit den volks-tümlichen Trachten von Marken bekleidet und fotografiert.

Marken, i Quartiere del Porto nel 1922 e di Quartiere della Chiesa nel 1927 e due fotografie aeree odierne. E' in questi due quartier che si trovano tutti i turisti. Pa-gando, si può visitare l'interno delle casette. E chi non avrebbe la voglia di farlo? I bambini dei tu-risti si vestono con i costumi orig nali di Marken e vengono fotogra fati.

Marken, los barrios del Haven-buurt (Barrio del Puerto) en 1922 y el Kerkbuurt (Barrio de la Igle-sia) en 1927, más dos vistas aérea actuales. Son los dos barrios donde pueden encontrarse todos los turistas. Mediante pago, pued visitarse el interior de las casitas típicas y ¿a quién no le gustaría hacerlo? Se viste a los niños de lo turistas con los trajes típicos de Marken para ser retratados.

Il existe pourtant d'autres quartiers, situés tels des touffes de maisons sur une motte de terre. On peut les voir en se promenant sur la digue qui fait le tour de l'île : les neuf kilomètres de cette digue constituent une des promenades les plus agréables des Pays-Bas. Marken n'est cependant plus un village de pêcheurs depuis longtemps déjà, et la plupart de ses habitants travaillent en-dehors de l'île.

Aber es gibt hier noch andere Stadtviertel, die wie ein Buschel Häuser auf einer Scholle liegen. Man kann die sehen, wenn man den Gang auf dem Deich rund um Marken macht. Der neun Kilometer lange Sapziergang ist einer der schönsten, den man in den Niederlanden machen kann. Aber Marken ist schon lange kein Fischerdorf mehr. Die meisten Einwohner pendeln hin und her für ihre Arbeit ausserhalb der Insel.

Esistono tuttavia altri quartieri, situati tali ciuffi di case su una zolla di terra. Si possono vedere passeggiando sulla diga che fa il giro dell'isola: i nove chilometri di questa diga costituiscono una delle passeggiate più piacevoli dei Paesi Bassi. Eppure Marken non è più un villaggio di pescatori già da lungo tempo e la maggior parte dei suoi abitanti lavora fuori dall'isola.

Sin embargo existen otros barrios, esparcidos como si fuesen matas de casas sobre un montículo de tierra, que pueden verse al pasearse sobre el dique que da la vuelta a la isla: los nueve Km de este dique constituyen uno de los paseos más agradables y pintorescos de los Países Bajos. Sin embargo desde hace mucho tiempo Marken ya no es un pueblo pesquero, y la gran mayoría de sus habitantes trabajan fuera de la isla.

Toch zijn er nog meer buurtjes, plukjes huizen op een terp. Je ziet ze als je de dijk afloopt rond Marken, negen kilometer en een van de aardigste wandelingen die je in Nederland kunt maken.
Marken is allang geen vissersdorp meer, de meeste bewoners pendelen op en neer naar hun werk buiten het eiland.

Aan de oostkant van het eiland ligt een vuurtoren die luistert naar de illustere naam 'Het paard van Marken'. Het lijkt zo weggeknipt uit een meesterwerk van naïeve schilderkunst. Maar ooit was dit een belangrijk baken voor de Oostindiëvaarders op weg naar of vanaf het IJ bij Amsterdam.

There is a lighthouse on the eastern side of the island with the illustrious name of `The Horse of Marken'. It looks as if it has been cut out of a naive painting masterpiece; but this used to be an important beacon for the Indonesian ships sailing to or from the IJ at Amsterdam.

Un phare s'élève sur le côté est de l'île. Il porte le nom illustre de "Het paard van Marken" ("le cheval de Marken"). Il semble appartenir à un chef-d'oeuvre de peinture naïve, mais il était autrefois un repère important pour les bateaux de la Compagnie des Indes en provenance ou repartant pour le lac IJ, près d'Amsterdam.

Auf der östlichen Seite der Insel liegt ein Leuchtturm, der auf den berühmten Namen "das Pferd von Marken" hört. Er scheint aus einem Meisterwerk naiver Kunst ausgeschnitten. Aber früher war er eine wichtige Bake für die Ostindienfahrer auf dem Weg zum oder vom See IJ in der Nähe von Amsterdam.

Un faro di erge sul lato Est dell'isola. Porta il nome illustre di "Het paard van Marken" ("il cavallo di Marken"). Sembra far parte di un capolavoro della pittura "naïve", ma era un tempo un punto di riferimento per le navi della Compagnia delle Indie in provenienza o in partenza per il lago IJ, vicino ad Amsterdam.

Al lado Este se levanta un faro que se conoce bajo el ilustre nombre de 'Het paard van Marken' (el caballo de Marken). Parece formar parte de una obra maestra de pintura naif, pero antaño era un importante punto de referencia para los barcos de la Compañía de las Indias que regresaban o partían por el lago IJ, cerca de Amsterdam.

Provisiekast van Nederland

Vorratskammer der Niederlande

The Netherlands' pantry

La dispensa dei Paesi Bassi

L'armoire à provisions des Pays-Bas

La despensa de los Países-Bajos

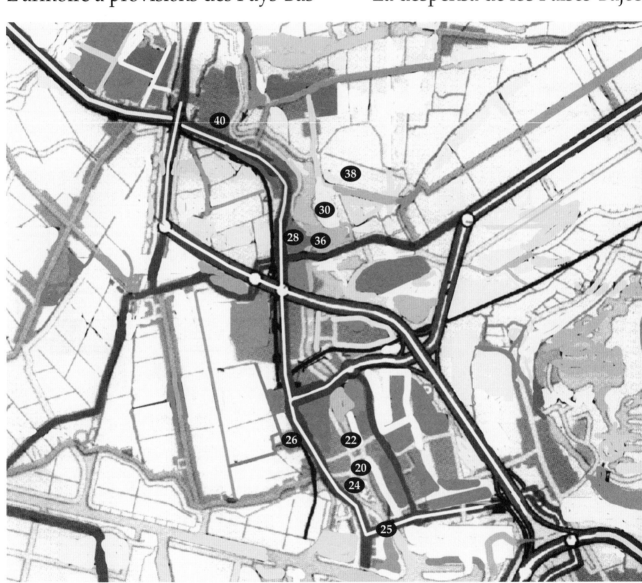

3

Parels rond de Gouwzee

Perlen rund um den Gouwzee

Treasures around the Gouwzee

Delle perle attorno al Gouwzee

Des perles autour du Gouwzee

Las perlas en torno al Gouwzee

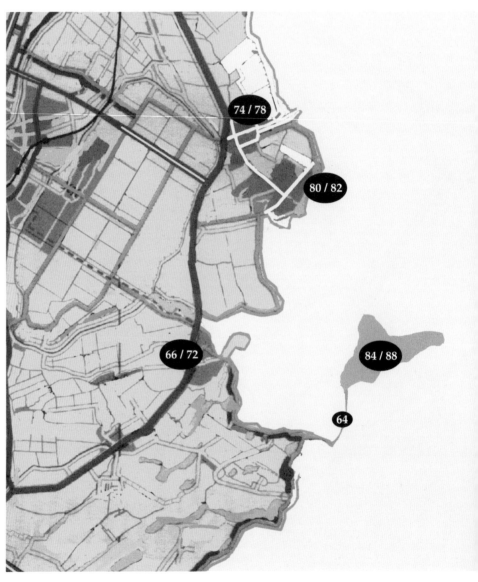

Picture credits

2	Marius Jansen	51	AeroView
7	Marius Jansen	52	KLM-Luchtfotografie
8	Marius Jansen	54	Lars Scholten
12	Marius Jansen	55	Lars Scholten (2x)
14	Illustra (2x)	56	Illustra
16	KLM-Luchtfotografie	57	Illustra (2x)
17	Illustra	58	Lars Scholten
18	KLM-Luchtfotografie	60	KLM-Luchtfotografie
20	KLM-Luchtfotografie	61	KLM-Luchtfotografie
21	Lars Scholten	62	KLM-Luchtfotografie
22	Lars Scholten (2x)	63	Lars Scholten
23	Lars Scholten	64	KLM-Luchtfotografie
24	Lars Scholten	66	Illustra-Blaeu
25	Lars Scholten	67	KLM-Luchtfotografie
26	Lars Scholten	68	KLM-Luchtfotografie
27	Lars Scholten (2x)	69	AeroView
28	AeroView	70	KLM-Luchtfotografie
28	KLM-Luchtfotografie	71	Lars Scholten
30	Lars Scholten	72	Lars Scholten
31	Lars Scholten	73	Illustra
32	Lars Scholten	74	Illustra-Blaeu
33	Illustra	75	Lars Scholten
34	Lars Scholten (2x)	76	KLM-Luchtfotografi (2x)
35	Ursula Pfistermeister	77	Lars Scholten
36	Lars Scholten	78	Illustra
37	Illustra	79	Lars Scholten
38	Lars Scholten	80	Lars Scholten (2x)
40	Lars Scholten	82	KLM-Luchtfotografie
42	Illustra-Blaeu	83	Lars Scholten
43	KLM-Luchtfotografie (2x)	84	Lars Scholten
44	KLM-Luchtfotografie	85	Illustra
45	Lars Scholten	86	KLM-Luchtfotografie (2x)
46	Lars Scholten	87	KLM-Luchtfotografie (2x)
47	Lars Scholten	88	Lars Scholten
48	Illustra	89	KLM-Luchtfotografie
49	Lars Scholten	94	Marius Jansen
50	KLM-Luchtfotografie